KV-025-695

Bijoux à portrait

Diana Scarisbrick

Bijoux à portrait

Camées, médailles et miniatures des Médicis aux Romanov

Traduit de l'anglais par Lydie Échasseriaud

356 illustrations, dont 341 en couleurs

1 page 1 Pendentif composé d'un camée en onyx traditionnellement considéré comme un portrait de la reine des Écossais Marie Stuart (1542–1587), v. 1560–1570. La monture est émaillée et enrichie de perles et de gemmes (voir ill. 21, 22).

2 frontispice Détail d'un autoportrait de Martin van Meytens, peintre à la cour de l'impératrice Marie-Thérèse. Dans cet autoportrait peint dans les années 1740, l'artiste montre un portrait en miniature de l'impératrice, et arbore une médaille à l'effigie de son époux, l'empereur François Ier. (Voir ill. 189).

3 ci-contre Colonne de table comportant un portrait en miniature de l'empereur de Russie Nicolas II. Colonne d'Henrik Wigström pour la maison Fabergé, 1910. (Voir ill. 313).

L'édition originale de cet ouvrage a paru sous le titre *Portrait Jewels: Opulence and Intimacy from the Medici to the Romanovs* chez Thames & Hudson Ltd, Londres.

Traduit de l'anglais par Lydie Échasseriaud
Conception graphique : Karolina Prymaka

L'éditeur remercie Isabelle Lucas pour sa relecture attentive.

Cet ouvrage mis en pages par Thames & Hudson a été reproduit et achevé d'imprimer en février 2011 par l'imprimerie C.C Offset Printing Co Ltd pour les Éditions Thames & Hudson.

Dépôt légal : 2e trimestre 2011
ISBN 978-2-87811-365-5
Imprimé en Chine

L'auteur tient à exprimer toute sa gratitude – pour leur aide, leur expertise et leurs conseils – aux personnes suivantes : Benjamin Zucker – dont la collection constitue le cœur de cet ouvrage ; le comte Fortescue, le comte de Portarlington et lord Stafford, descendants des héritiers de Mme Fitzherbert ; le marquis de Lansdowne ; le comte de Sandwich ; la baronne Willoughby d'Eresby ; le comte Andrew Ciechanowiecki ; le comte Charles-André Walewski ; Derek Adlam ; Mme Noel Annesley ; Florence Evans de la Weiss Gallery ; Kate Fielden ; Etienne Grafe, Christopher Hartop, Judith Kilby Hunt ; Dr John et Mme Zoe Kurtz ; David Lavender ; M. et Mme Alain Moatti ; Nicholas, Jonathan et Francis Norton ainsi que Max Michelson de S. J. Phillips ; Peter et Paul Schaffer ; Lindsay Stainton ; Mme Sarah Troughton. Tous mes remerciements vont également à mes amis des maisons de ventes, en particulier Camilla Lombardi chez Bonhams ; Raymond Sancroft Baker, Jo Langston et Francis Russell chez Christie's ; Victor de Baux, Julia Clarke, Leonora Gummer, Daniela Mascetti, Sabrina O'Cock, Ludovic Shaw Stewart, James Stourton et Gemma Williams chez Sotheby's. Je remercie par ailleurs : à Boston, Susan Ward et Yvonne Markowitz ; à Bruxelles, Christophe Vachaudez ; à Copenhague, Charlotte Christianson, J. Greve de la Royal Silver Collection et Jørgen Hein du château de Rosenborg ; à La Haye, René Brus ; à Paris, Mathilde Avisseau au Cabinet des Médailles, Roselyne Hurel au Musée Carnavalet, Béatrice de Plinval et Mélanie Sallois chez Chaumet, Emmanuel Ducamp et Isabelle Lucas ; à Stockholm, Magnus Olausson du Nationalmuseum. Amanda Corp de la London Library et Adrian James de la Society of Antiquaries m'ont été d'une grande aide lors de mes recherches. Richard Falkiner et Stefano Papi ont fait preuve d'une grande générosité, le premier en partageant son savoir sur les médailles et le second en me permettant de déchiffrer l'iconographie russe. Je dois aussi remercier Jo Walton, l'iconographe du livre, Karolina Prymaka, qui a su marier textes et images avec talent et intelligence, Susanna Friedman, qui a supervisé la production, et Emily Lane, mon éditrice, qui a montré une telle attention aux détails qu'il s'agit véritablement de « notre livre ».

Sommaire

Introduction

À partir de la Renaissance, les portraits en miniature des grandes figures politiques, militaires, littéraires ou artistiques mais aussi d'individus privés ont inspiré aux orfèvres et joailliers de précieuses montures, destinées à mettre en valeur leur beauté et à souligner leur importance tant pour le donateur que pour le récipiendaire. Les bagues, pendentifs, médaillons, bracelets et divers objets de luxe qui nous sont parvenus montrent que l'engouement pour les portraits montés en bijou fut international, de Lisbonne à Moscou et de Stockholm à Naples en passant par Londres, New York et Paris. Pourtant, si les médailles et les portraits en camée, en intaille ou en miniature ont fait l'objet de nombreuses études, on a, de façon surprenante, prêté moins attention à leurs montures.

L'histoire commence au XVIe siècle avec les portraits des Habsbourg, des Médicis, des Valois, des Bourbons ou des Tudor. Ces minuscules chefs-d'œuvre, dus à Jacopo da Trezzo, Giancristoforo Romano, François Clouet ou Nicholas Hilliard fournirent aux joailliers les plus célèbres – François Dujardin et Étienne Delaune à Paris, George Heriot à Édimbourg et à Londres, Gabriel Gipfel à Dresde – un moyen de s'exprimer au travers de nouvelles créations artistiques, celles-ci faisant écho aux cadres élaborés qui entouraient les tableaux accrochés aux murs des palais et manoirs. Ces créations servirent de référence aux joailliers des époques et syles suivants.

Les superbes portraits en médaille et en miniature qui nous sont parvenus du XVIIe siècle sont encadrés de guirlandes de fruits, de fleurs et de feuilles, ce siècle s'étant découvert une véritable passion pour la botanique. L'encadrement de diamants dont furent agrémentées les boîtes à portrait de Louis XIV ajouta une petite touche de luxe à ces objets. De même, l'élégance rococo puis néoclassique des montures du XVIIIe siècle dénote l'influence de celle qui était alors l'arbitre du bon goût, la marquise de Pompadour. Celle-ci passait volontiers commande aux graveurs sur gemmes, médaillistes et miniaturistes. La variété des cadres du XIXe siècle illustre quant à elle l'éclectisme qui régnait dans les arts à cette époque. La photographie porta un coup mortel à la miniature, mais son succès accrut le besoin de montures et de cadres, ceux-ci devant permettre de porter le portrait photographique en bijou ou de l'exposer sur un bureau ou une table de nuit, comme en témoignent les splendides créations de Fabergé.

Le dernier chapitre surprendra plus d'un lecteur : il est réservé aux rares bijoux dans lesquels un diamant recouvre un portrait en miniature. Il se termine par un bref historique des portraits gravés sur diamant, qui sont encore plus rares.

Semblable à une galerie de portraits miniatures, cet ensemble de bijoux fait revivre cinq siècles d'événements extraordinaires, marqués par des figures hors du commun, mais il illustre aussi un aspect de l'histoire de la joaillerie qui n'avait jusqu'ici jamais fait l'objet d'une étude aussi approfondie.

4 *ci-contre* Intérieur, finement émaillé de diverses couleurs, d'un médaillon qui contenait à l'origine un portrait en miniature du roi d'Angleterre et d'Irlande Jacques Ier, roi d'Écosse sous le nom de Jacques VI. (Voir ill. 67–69).

I *L'Europe de la Renaissance* 1500–1625

Au cours de la Renaissance, le regain d'intérêt pour l'individualité et le caractère humain, qui trouva sa plus belle expression dans les portraits de Raphaël, d'Antonello de Messine et de Titien, est aussi perceptible dans des œuvres de plus petite taille. Les portraits en pierre dure – en camée ou intaille –, ainsi que ceux en médaille ou peints en miniature sur du vélin, pouvaient remplir diverses fonctions : servir à glorifier un souverain mais aussi tenir lieu de cadeaux diplomatiques ou encore de gages d'amour ou d'amitié. La plupart étaient portés, ostensiblement ou non, en bijoux et avaient donc des montures en or émaillé rehaussées de gemmes, ce qui dénotait leur importance et en disait encore davantage sur la personne représentée.

5 *ci-contre* Portrait de Bia, fille du grand-duc de Toscane Cosme Ier de Médicis (1519–1574), par Agnolo Bronzino (détail, voir ill. 35). Cette jeune enfant porte en pendentif un portrait en médaille de son père.

Les camées et les intailles

L'art ancien de la gravure sur gemmes – qui se traduit par un motif en relief dans le cas du camée ou en creux dans celui de l'intaille – revint au goût du jour dans l'Italie du XVe siècle, suite à la découverte d'un grand nombre de pierres gravées dans les sites antiques romains. Ces découvertes, contemporaines de l'engouement des humanistes pour la culture classique, favorisèrent l'émergence d'une nouvelle école de graveurs sur gemmes, à Rome mais aussi à Florence, Milan, Vérone et Padoue. La réputation de ces maîtres graveurs ne tarda pas à attirer l'attention au-delà des Alpes : Matteo del Nazzaro fut appelé en France par François Ier, Jacopo Caraglio en Pologne par Sigismond II, et Jacopo da Trezzo en Espagne par Philippe II. À l'instar des empereurs romains, les monarques de la Renaissance commandèrent aux graveurs sur gemmes des portraits officiels les faisant apparaître comme des êtres supérieurs incarnant idéalement et sereinement le pouvoir. Chargé de veiller à l'application de la loi et au maintien de l'ordre – dont la paix publique et la prospérité dépendaient –, tout monarque, qu'il ait été italien ou ait appartenu à la dynastie des Valois, des Habsbourg ou des Tudor, souhaitait être perçu, pour reprendre les mots de Baldassar Castiglione (dans *Le Livre du courtisan*), comme un souverain

> très juste, très continent, très tempéré, très fort et très sage, rempli de libéralité, de magnificence, de dévotion et de clémence [...] très glorieux et très aimé des hommes et de Dieu, par la grâce de qui il acquerra[it] cette vertu héroïque qui le fera[it] dépasser les limites de l'humanité, au point qu'on pourra[it] l'appeler plutôt un demi-dieu qu'un homme mortel. [...] C'est pourquoi, de même que dans le ciel le soleil, la lune et les autres étoiles montrent au monde, comme dans un miroir, une certaine image de Dieu, de même, sur terre, on trouve une image de Dieu beaucoup plus ressemblante dans la personne des bons princes qui l'aiment et le révèrent, et montrent aux peuples la lumière resplendissante de sa justice, accompagnée d'une ombre de la raison et de l'intellect divins [1].

Cette conception du prince est implicite dans l'œuvre de Shakespeare. Dans *Hamlet*, le roi de Danemark déclare ainsi à son épouse : « Tant de sacré enveloppe les rois [2] » (acte IV, scène 5). Dans *Richard II*, le roi est décrit par l'évêque de Carlisle comme un être sacré, comme le « représentant de la Gloire Divine, [le] lieutenant de Dieu, son élu, son ministre [...] [3] » (acte IV, scène 1).

L'empereur Charles Quint, le souverain alors le plus puissant d'Europe, fit appel pour ses portraits aux meilleurs artistes de l'époque. Un camée livrant de lui un portrait réaliste, dans lequel il apparaît en buste et en habit d'époque, a été monté en pendentif. Il est entouré d'un décor de volutes émaillé polychrome, ponctué de rubis en table [6, 7]. Le prestige et le pouvoir de l'empereur sont en outre indiqués au revers du pendentif au travers de son emblème, les colonnes d'Hercule, et de sa devise, PLUS ULTRA. Celle-ci signifie que, contrairement à l'empire des Romains, limité par ces colonnes (qui représentent le détroit de Gibraltar), celui de Charles Quint s'étendait au nouveau monde. Le collier de l'ordre de la Toison d'or et les armes de l'Autriche et de la Castille sommées de trois couronnes complètent cette démonstration de l'autorité impériale.

6, 7 Avers et revers d'un médaillon comportant un portrait en camée de l'empereur Charles Quint (1500–1558). Camée en onyx. Monture en or à décor de volutes, de boucles et de fleurs émaillé polychrome et ponctué de rubis en table. Revers émaillé des armes couronnées des Habsbourg entre deux colonnes (les colonnes d'Hercule) assorties de la devise de l'empereur et de l'insigne de l'ordre de la Toison d'or. Camée d'Italie du Nord ; monture néerlandaise, 1556/1558. H. 54 mm.

8, 9 *à gauche et ci-contre* Avers et revers d'un pendentif composé d'un camée représentant en buste et en armure le roi d'Espagne Philippe II (1527–1598) et s'accompagnant de l'inscription suivante : PHILIPPUS REX HISPANIAE. Camée en onyx. Monture en or décorée alternativement de diamants en table (huit au total) et de quadrilobes en relief, et agrémentée d'une pendeloque de perle. Le revers est émaillé d'un trophée d'armes faisant écho au caractère militaire du portrait. Camée italien dû à l'entourage de Jacopo da Trezzo (v. 1515–1589) ; monture espagnole, v. 1560. 47 x 31 mm.

Philippe II, fils de Charles Quint, est représenté, dans tous les camées qui nous sont parvenus, dans l'attitude que recommande aux souverains Nicolas Machiavel dans *Le Prince* : celle de chef militaire. Il est vêtu d'une armure comme s'il était en train de mener ses troupes contre les Anglais, les Français, les Portugais ou ses sujets rebelles des Pays-Bas. Ce thème guerrier est particulièrement accentué dans un de ces portraits, encadré de diamants en table et émaillé au revers d'un trophée d'armes se composant d'une hallebarde, d'une arquebuse, d'une épée, d'un casque, d'une poire à poudre et d'un tambour [8, 9]. Un autre pendentif présente au revers un décor émaillé de mauresques blancs cernant des motifs de couleur rouge, verte et noire [10, 11]. Ce décor s'apparente à ceux publiés en 1554 par Balthazar Sylvius dans *Variarum Protractionum quas vulgo Maurusias vocant* [12]. Un troisième pendentif a une dimension plus dynastique puisqu'il est à double face avec, au revers, le portrait en buste de l'héritier du trône, Don Carlos [13, 14]. La bordure intérieure de la monture est émaillée de blanc mais ponctuée d'ovales de couleur, tandis que le reste de la monture, de forme convexe, est orné de motifs rouges translucides et de motifs bleus opaques.

On peut voir un camée en onyx similaire dans un portrait d'Isabelle-Claire-Eugénie [15], fille de Philippe II. Dans ce portrait, l'infante, parée de magnifiques bijoux, tient le camée en question – qui représente son père en buste – comme s'il s'agissait d'un bien précieux. Un autre encore, encadré d'un cartouche, est porté en pendentif par la sœur bien-aimée de Philippe II, Doña Juana du Portugal, dans un portrait exécuté post-mortem – ce qui montre le prestige de ces effigies en pierre dure – exposé dans la chapelle du couvent des Descalzas Reales, à Madrid [4]. Don Carlos, qui était aussi un des commanditaires de Jacopo da Trezzo, avait offert à Doña Juana, sa tante, un portrait de lui gravé dans un diamant, monté sur une bague niellée et portant pour inscriptions son nom et son titre [5].

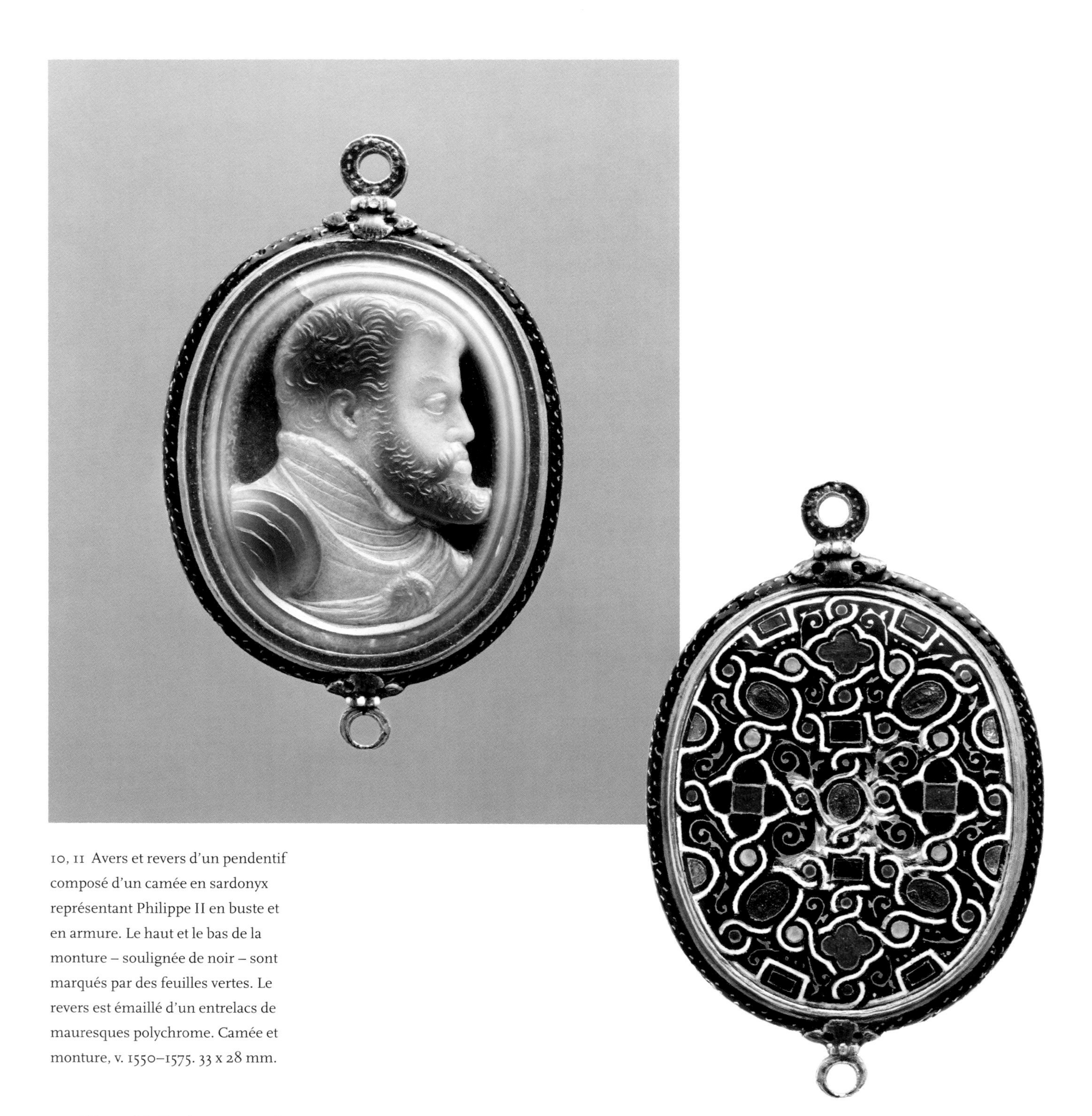

10, 11 Avers et revers d'un pendentif composé d'un camée en sardonyx représentant Philippe II en buste et en armure. Le haut et le bas de la monture – soulignée de noir – sont marqués par des feuilles vertes. Le revers est émaillé d'un entrelacs de mauresques polychrome. Camée et monture, v. 1550–1575. 33 x 28 mm.

12 Décor de mauresques sur la page de titre d'un recueil de motifs de ce type intitulé *Variarum Protractionum quas vulgo Maurusias vocant,* publié à Anvers en 1554 par Balthazar Sylvius (Balthazar van den Bos, 1518–1580).

13, 14 *ci-dessus, à gauche et à droite* Pendentif double face en or, dont l'avers comporte un camée en onyx représentant Philippe II en buste et en armure, et le revers un camée en onyx représentant son fils Don Carlos (1545–1568) également en buste et en armure. Les deux camées ont une monture à motifs rouges en partie translucides et motifs bleus opaques, dont la bordure intérieure blanche est ponctuée d'ovales de couleur. Camées italiens dus à l'entourage de Jacopo da Trezzo, v. 1559 ; monture espagnole de même époque. 42 x 34,5 mm.

15 *ci-contre* L'infante d'Espagne Isabelle-Claire-Eugénie (1566–1633) avec sa servante naine, Magdalena Ruiz. Détail d'un portrait peint v. 1586 par un artiste de l'école d'Alonso Sánchez Coello. Magnifiquement vêtue et parée de splendides bijoux, l'infante montre un camée représentant son père, le roi Philippe II. Magdalena Ruiz tient, quant à elle, un portrait en miniature.

Le nielle, de couleur noire, se mariait bien avec le diamant. On ne l'utilisait pas en revanche avec les camées en onyx, dont on préférait apparemment égayer la monture avec des émaux de couleur. C'est ce type de décor qui rehausse le portrait de la princesse Habsbourg Anne d'Autriche, décrit avec sa monture dans l'inventaire établi à sa mort survenue en 1580. Celle-ci avait épousé en 1570 son oncle Philippe II, alors veuf. Dans l'inventaire en question, on peut lire ceci : « Un portrait de la reine Doña Ana, Notre Dame, en un camée gris et blanc, de forme ovale, avec un cordon tout autour et une monture d'or émaillé d'incarnat, de bleu et de vert [6]. »

À Florence, l'art de la gravure sur gemmes, encouragé par Laurent le Magnifique, eut aussi pour commanditaires les Médicis qui lui succédèrent, et notamment le grand-duc Cosme Ier, fondateur du grand-duché de Toscane. Un camée en onyx le représentant en buste et en armure – aujourd'hui encore en parfait état avec sa monture ornée d'un rang de perles et de bandes émaillées – comporte quatre anneaux de fixation permettant de conclure qu'il était censé être porté sur un chapeau ou un vêtement. Décrit, au faîte de sa gloire, comme un homme fort, beau et courageux, Cosme Ier était considéré comme l'incarnation même du Prince de Machiavel, c'est-à-dire comme un souverain sachant allier l'audace au talent et à la prudence, capable d'une grande cruauté mais aussi, si nécessaire, de clémence. Si l'extraordinaire portrait dynastique exécuté par Giovanni Antonio de Rossi réunissant Cosme Ier, son épouse – Éléonore de Tolède – et leurs cinq enfants est aujourd'hui mutilé et a perdu sa monture, des projets d'autres montures envisagées lors de sa création témoignent aujourd'hui encore de l'imagination des orfèvres florentins au XVIe siècle. Un dessin montre deux versions essentiellement figuratives et architecturales proposées par Giorgio Vasari v. 1559 pour encadrer le camée [17]. On y remarque le collier de l'ordre de la Toison d'or de Cosme mais aussi, en bas, les armes des Médicis et de Tolède ainsi que la

16 *ci-contre* Bijou destiné à être porté sur un vêtement ou un chapeau. Il se compose d'un camée en onyx représentant en buste le grand-duc de Toscane Cosme Ier (1519–1574). Celui-ci porte une armure et l'insigne de l'ordre de la Toison d'or. La bordure intérieure de la monture est constituée d'une succession de perles tandis que le reste se présente sous la forme de bandes rayonnantes, émaillées alternativement de touches de bleu et de blanc. Ce camée, postérieur à 1546, a été attribué à Giovanni Antonio de Rossi (1517–v. 1574) ; monture de même époque. 43 x 32 mm.

COSMVS
MED
DVX
FLO
II

17 *ci-contre* Deux propositions de monture figurative (à droite et à gauche du camée) dessinées par Giorgio Vasari, v. 1559, pour le très grand camée de Giovanni Antonio de Rossi représentant Cosme Ier avec sa première épouse, Éléonore de Tolède, et leurs cinq enfants.

couronne ducale et, en haut, une plaque sur laquelle est inscrit COSMUS/ MED/ DUX/ FLO II. Un dessin de monture également figuratif, exécuté à plus petite échelle par Domenico Ghirlandaio pour un camée représentant un vieil homme en buste, rappelle les sommets que les artistes de la Renaissance pouvaient atteindre [7]. L'étroite bordure émaillée qui encadre le camée en cornaline livrant un double portrait de Cosme II et de Marie-Madeleine d'Autriche est moins ambitieuse bien que les armes couronnées des Médicis, représentées au revers, au milieu d'élégantes volutes, indiquent clairement le rang des figures représentées [8].

Bien qu'il ait existé des camées représentant François Ier de France et l'héritier du trône, Henri II, aucun n'a survécu avec sa monture d'origine. Le camée en onyx représentant Catherine de Médicis en buste, assorti d'une monture en or sertie de rubis en table, est en revanche en parfait état. Dans ce portrait, légèrement postérieur au mariage de Catherine de Médicis avec le futur Henri II [20], celle-ci porte l'insigne de l'ordre de Saint-Michel. On considère traditionnellement que la belle jeune femme magnifiquement habillée représentée dans une série spécifique de camées ayant conservé leur monture d'origine est la belle-fille du couple, Marie Stuart, reine d'Écosse et veuve de François II – perçue par Michel de Montaigne comme la reine la plus juste de la chrétienté. Le plus ancien de ces camées, qui date de 1560 environ, a été monté en pendentif. La monture, qui se termine par une pendeloque de perle baroque, est émaillée d'un décor noir et blanc d'oves et de flèches rehaussé de rubis et de diamants. Elle présente au revers un décor de quadrilobes rouges et de marguerites blanches. Cette monture est attribuée à l'orfèvre parisien Étienne Delaune [9]. Un autre camée, daté de 1566 et portant aussi au revers un décor de fleurs, est de même forme et de même qualité [18, 19]. Un troisième, d'un type cette fois très différent, est censé avoir été envoyé par Marie Stuart à un de ses soupirants, Thomas, neuvième duc de

18, 19 *à gauche et ci-dessous* Avers et revers d'un pendentif composé d'un camée en onyx traditionnellement considéré comme un portrait en buste de Marie Stuart (1542–1587), reine d'Écosse, qui avait épousé en 1558 le futur roi de France, François II. La monture, émaillée de rouge sur l'avers, présente au revers un décor de fleurs rouges, vertes et blanches. Camée italien, 1566 ; monture française de la même époque. 38 x 28 mm.

20 Pendentif composé d'un camée en onyx représentant la jeune Catherine de Médicis (1519–1581), future reine de France. Elle porte une robe de cour et l'insigne de l'ordre de Saint-Michel. La monture en or est ornée de vingt-neuf rubis en table, sertis les uns à côté des autres. Camée français, v. 1540 ; monture française, plus tardive. 31 x 26 mm.

Norfolk, qui finit sur l'échafaud à l'âge de trente-quatre ans, en 1572, pour avoir voulu l'épouser. Ce camée est assorti d'une grande monture à volutes qui, rehaussée d'une turquoise, d'un péridot et de deux améthystes, comporte en outre trois pendeloques de perle [21, 22]. Un quatrième camée de la même série a une dimension plus symbolique : il est monté sur un cœur qui « saigne » en or émaillé [10].

La guerre de la Sainte Ligue ayant entraîné de nombreuses pertes humaines et matérielles, la monarchie française ne put de nouveau tirer bénéfice de l'art de la gravure sur gemmes qu'à partir du règne d'Henri IV, qui rétablit la paix et permit ainsi le retour à la prospérité. Dans un camée, Henri IV est symboliquement représenté en Hercule français [23] avec, sur la tête, la dépouille du lion de Némée. Ainsi la restauration de la loi et de l'ordre par Henri IV, destinée à permettre à la civilisation française de connaître de nouveau une période florissante, se trouve assimilée au premier des travaux du héros de l'Antiquité [11]. Cette image d'Henri IV est en outre mise en valeur par une monture en or émaillé, composée de trophées d'armes reliés entre eux par des lacs d'amour. Un lion couché figure à la base de cette monture sommée d'une couronne. Il s'agit d'une variante plus sophistiquée d'une monture similaire à sujet militaire, dessinée à Paris v. 1550–1573 par Étienne Delaune, orfèvre de la cour [24]. Après l'assassinat d'Henri IV en 1610, des portraits en intaille de son fils et de sa veuve, Marie de Médicis – qui exerça la régence au nom de ce dernier, le jeune Louis XIII –, furent exécutés en jaspe sanguin et montés sur des bagues émaillées de mauve [12]. Un nouveau type de décor, un décor de cosses de pois se présentant sous la forme d'une guirlande ajourée, émaillée de vert, de noir et de blanc, encadre un camée en opale livrant le portrait du jeune Louis XIII [25]. Il présente de grandes similitudes avec un dessin de Balthazar Lemersier [26] [13].

En Angleterre, la reine Élisabeth Ire demanda aux artistes, tout au long de son règne, de la représenter comme « la plus royale des

21, 22 Avers et revers d'un pendentif composé d'un camée en onyx traditionnellement identifié comme représentant Marie Stuart, reine d'Écosse, vêtue d'une robe de cour et parée de bijoux. Grande monture en or émaillé à décor de volutes, sertie d'une turquoise, de deux améthystes et d'un péridot, et agrémentée de trois pendeloques de perle. Monture émaillée, au revers, d'un décor symétrique de volutes et de feuilles. Camée et monture, v. 1560–1570.

23 *ci-contre* Pendentif composé d'un camée en sardonyx représentant le roi de France Henri IV (1553–1610). La dépouille du lion de Némée que celui-ci porte sur la tête constitue une allusion à sa force et à son courage. Sur la monture en or émaillé, surmontée de la couronne de France, les quatre trophées reliés par des lacs d'amour et le lion couché, situé à la base, font référence à ces mêmes qualités. Camée et monture français, v. 1600. 88 x 66 mm.

24 *à droite* Dessin de monture attribué à Étienne Delaune (1518–1580). La monture est ornée d'un trophée d'armes, très précisément de deux casques, deux boucliers présentés sur des palmettes et deux cuirasses accrochées à des épées. Une tête casquée figure au sommet et un masque de lion à la base, la tête et le masque étant tous deux présentés sur des palmettes. Les objets représentés sont reliés entre eux par des volutes et des cuirs, v. 1550–1573.

25 *ci-contre* Pendentif composé d'un camée octogonal en opale représentant le futur roi de France Louis XIII (1601–1643), portant le ruban de l'ordre du Saint-Esprit. La monture ajourée, à décor de cosses de pois, est émaillée de blanc, de noir et de vert foncé. Camée français, v. 1610 ; monture française, v. 1620–1630. 63 x 43 mm.

26 *ci-dessus* Page de titre d'un recueil de décors de cosses de pois dessinés par Balthazar Lemersier (actif 1625–1634), publié à l'intention des orfèvres. La guirlande de cosses de pois, semblable à la monture du camée représenté ci-contre, est nouée par un ruban auquel sont accrochés des outils d'orfèvre. Des bras du putto représenté au centre – qui tient d'une main une chaîne et de l'autre trois burins – pend un tissu indiquant le nom de l'artiste et celui du graveur – Balthazar Moncornet – ainsi que le lieu et la date de publication (Paris, 1626).

27 Dessin à l'aquarelle d'un camée en sardonyx que le comte d'Essex portait sur son chapeau. Ce camée représente la reine d'Angleterre et d'Irlande Élisabeth Ire (1533–1603).

reines » et « la plus vertueuse et la plus belle des ladies », pour reprendre les termes du poète Edmund Spenser. Peut-être influencée par les portraits de son beau-frère, Philippe II d'Espagne, dus à Jacopo da Trezzo, elle commanda des portraits en pierre dure dans lesquels on ne voyait généralement que son profil gauche, ses traits étant idéalisés, et ses vêtements et ses bijoux minutieusement rendus. Ces portraits furent montés en bague, en broche ou en pendentif. Ses proches les portaient en signe de dévouement comme en témoignent les portraits de sir Francis Walsingham, de sir Christopher Hatton [29] ou de lord Burghley, qui portait le sien sur le devant de son chapeau tout comme le comte d'Essex [27]. Certaines montures sont documentées. Le plus ancien document remonte à 1586, date à laquelle le comte de Rutland versa 80 £ à Peter Van Lore pour « une broche sertie de 53 diamants et composée d'un portrait en agate de Sa Majesté [14] ». En 1607, Thomas Sackville, comte de Dorset, légua par testament un bien de famille : « un portrait parfaitement ressemblant de feue notre célèbre reine Élisabeth, sculpté dans une agate ovale entourée de 26 rubis sertis sur une monture en or retenant, par ailleurs, une pendeloque de perle orientale [15] ». La collection personnelle de la reine comprenait : « une plaque en or comportant un portrait en agate de la reine, agrémentée de trois diamants de taille moyenne, de quatre rubis en table de taille moyenne, de quatre petites pendeloques de perle formant grappe et d'un morceau de corne de licorne incrusté [16] » ; un « bracelet en or avec, au centre, un camée en rubis représentant Sa Majesté [17] » [reçu comme étrenne en 1588] ; et « un bijou en or [que la reine reçut en cadeau en 1603, l'année de sa mort] qui, ressemblant à une marguerite entourée de petites fleurs serties d'éclats de diamants et de rubis, comportait un camée en grenat représentant Sa Majesté, une tige à trois ramifications garnies d'éclats de rubis, une perle au sommet et des pendeloques d'éclats de diamants [18] ».

28 Camée en turquoise monté en pendentif et représentant la reine Élisabeth Ire. Monture en or à décor de volutes et de myosotis émaillé, rehaussée de rubis et de pointes de diamants et agrémentée de trois pendeloques de perle, v. 1590.
La reine avait offert ce pendentif à Elizabeth Wild, une de ses filleules.
H. 55 mm.

TANDEM SI

Tous les bijoux composés de portraits en camée de la reine qui nous sont parvenus datent des trente dernières années du XVIe siècle. Il faut citer parmi eux un camée en turquoise [28] dont la monture ajourée, sertie de rubis et de diamants en pointe, présente un décor de volutes. La reine avait offert ce camée en même temps qu'une robe de baptême en dentelle à sa filleule Elizabeth Wild ; l'aiguière utilisée lors de la cérémonie a été gravée au revers du camée. D'autres camées ont des montures plates émaillées, ponctuées de rubis ou de grenats. Un très grand modèle est doté d'une bordure épargnée par la gravure de la pierre, soulignée d'une étroite monture émaillée de spirales rouges et blanches, rehaussée de diamants en table et agrémentée d'une pendeloque de perle [30]. Dans un portrait de sir Francis Walsingham, celui-ci porte autour du cou, au bout d'un ruban noir, un pendentif similaire [19]. Les pensées et les églantines, émaillées de noir, de blanc et de diverses autres couleurs, qui accompagnent un portrait en camée monté en bague font allusion à la virginité de la reine [20]. Plusieurs autres bijoux comportant un portrait en camée de la reine, y compris un médaillon dont le couvercle comprend un camée en saphir [21], ont une monture émaillée d'un décor de cosses de pois. Le plus important de tous est celui censé avoir appartenu à William Barbour [31, 32]. Sommée de trois diamants formant couronne, la monture, sertie de diamants et de rubis, présente, à sa base, des pendeloques de perle formant grappe. Le chêne émaillé au revers fait allusion aux circonstances dans lesquelles le protestant William Barbour, condamné à mort par Marie Ire, échappa à son exécution – sauvé par l'arrivée au pouvoir d'Élisabeth Ire, informée de son accession au trône alors qu'elle était en train de lire sous un chêne à Hatfield.

On trouve sur les bijoux différentes sortes de couronnes en fonction du statut du souverain. La monture en or émaillé d'une intaille en cristal de roche [1580–1581] représentant Albert V de Bavière est sommée d'une couronne royale fermée [33].

29 *ci-contre* Portrait de sir Christopher Hatton (1540–1591), grand chancelier d'Angleterre et chevalier de l'ordre de la Jarretière. Ce portrait, peint v. 1589, est attribué à Cornelius Ketel. Sir Hatton porte en pendentif, au bout d'une triple chaîne en or très longue, un camée représentant la reine Élisabeth Ire. La monture comprend des diamants en table et une pendeloque de perle.

30 Pendentif composé d'un camée en sardonyx représentant la reine Élisabeth Ire, entouré d'une bordure obtenue par réserve de la pierre. Monture émaillée de spirales rouges et blanches, ponctuée de bates carrées serties de diamants en table, et agrémentée d'une pendeloque de perle. Camée anglais ou français, v. 1575–1579 ; monture anglaise de même époque. 92 x 60 mm.

31, 32 Avers et revers d'un pendentif composé d'un camée en sardonyx. Le camée, qui représente la reine Élisabeth Ire, est entouré d'une bordure obtenue par réserve. La monture, qui comporte à sa base une grappe de pendeloques de perle, est émaillée de blanc, ponctuée d'émaux noirs et vert foncé, rehaussée de diamants et de rubis en table, et sommée de trois diamants rectangulaires formant couronne. Le revers est émaillé d'un chêne. Ce bijou appartenait à William Barbour, un protestant condamné à mort par Marie Ire mais qui eut la vie sauve grâce à l'arrivée au pouvoir en 1558 d'Élisabeth Ire. Camée anglais ou français, v. 1575 ; monture anglaise, v. 1615–1625. H. 60 mm.

33 Intaille en cristal de roche montée en pendentif et représentant Albert V, comte palatin du Rhin et duc de Bavière (1528–1579), en armure. Celui-ci, entouré d'inscriptions indiquant ses titres, porte le collier de l'ordre de la Toison d'or. La monture en or, sommée d'une couronne fermée, est composée de C adossés et de rinceaux émaillés de couleurs vives. Intaille de Valentin Drausch (1546–1610) ; monture d'Heinrich Wagner († 1607), 1580–1581. 66 x 50 mm. Ce bijou a été commandé après la mort d'Albert V par son héritier, le duc Guillaume.

Les portraits en médaille

L'intérêt des humanistes pour tous les aspects de la Rome antique – ses textes, ses monnaies, ses portraits sculptés – fut à l'origine de la réapparition du portrait en buste sous forme de médaille. Alors que les camées et les intailles étaient des pièces uniques et donc rares, ce n'était pas le cas des médailles. Ainsi les souverains pouvaient-ils les offrir – pour commémorer un événement ou pour marquer un anniversaire – non seulement à des personnes spécifiques mais aussi à des groupes entiers pour bons et loyaux services. Étant donné que les récipiendaires – chefs militaires, artistes ou écrivains, par exemple – étaient fiers de l'honneur qui leur était ainsi fait et désiraient montrer ostensiblement leur médaille, ils la faisaient souvent monter en bijou, tout comme les portraits en pierre dure. Ils la portaient soit en broche sur leur chapeau soit en pendentif au bout d'une chaîne en or.

Le plus connu des premiers portraits en médaille montés en bijoux qui nous soient parvenus est celui d'Isabelle d'Este réalisé en Italie, v. 1500, par Giancristoforo Romano [34]. La médaille en or, qui montre de profil cette célèbre protectrice des arts, a une large monture ornée de diamants ayant été taillés de manière à former en caractères gothiques le prénom de cette grande dame, Isabelle. Avec ces diamants alternent des fleurs en or émaillé formant relief. Le pourtour de la monture est souligné de branches entrelacées. La bélière indique que le portrait était destiné à être porté en pendentif.

Les portraits en médaille ayant survécu permettent de penser que la plupart avaient une monture en or agrémentée d'aucun décor. Bia, la fille naturelle de Cosme Ier de Médicis, a été peinte par Bronzino vêtue d'une robe de soie blanche et parée de deux boucles d'oreille – comportant chacune un

diamant et une perle –, d'un collier de perles, d'une chaîne en or autour de la taille, et d'une autre chaîne en or autour du cou avec, en pendentif, une médaille en or représentant son père [5, 35]. La monture ovale finement ciselée comporte, en haut et en bas, des volutes, entre lesquelles figurent des bouquets de fleurs et de feuilles. Les trois portraits en médaille du grand-duc Ferdinand Ier dus à Michele Mazzafirri et découverts dans son tombeau ainsi que dans celui de son épouse, Christine de Lorraine, comportent chacun trois chaînettes fixées, à l'une de leurs extrémités, à des anneaux situés au sommet de la monture et, à l'autre extrémité, à une même bélière permettant de porter ces médailles en pendentif, au bout probablement d'un ruban passé autour du cou [22]. Le portrait du marchand d'art Jacopo Strada peint par Titien montre très précisément comment ces médailles étaient portées : celle du marchand d'art est en effet suspendue à trois chaînettes en or, elles-mêmes suspendues non pas à un ruban mais à une longue chaîne en or passée quatre fois autour du cou, ce qui fait ressortir la pelisse ainsi que le noir et le rouge des vêtements [23].

34 *ci-contre* Pendentif composé d'une médaille en or représentant Isabelle d'Este (1474–1539). Le nom et le titre de cette dernière – marquise de Mantoue – sont inscrits dessus. Entre les deux bords torsadés de la monture en or alternent des fleurs en or émaillé et des diamants taillés en lettres gothiques et disposés de manière à former le prénom de la marquise. Le bord extérieur de la monture est souligné de branches entrelacées. Médaille de Giancristoforo Romano (1465–1512), v. 1500 ; monture de même époque. DIAM. 69 mm.

35 *à droite* Portrait de Bia de Médicis (1536–1542) par Agnolo Bronzino, 1542. Celle-ci porte une médaille représentant son père, le grand-duc Cosme Ier. Il s'agit d'un portrait de profil, comme sur les médailles romaines antiques. Le pourtour de la monture est cannelé et souligné de volutes et de bouquets de laurier. (Voir ill. 5)

36 *Gnadenpfennig* représentant l'archiduc Maximilien III d'Autriche (1558–1618). La médaille, qui porte une inscription, a une monture en or émaillé à décor de volutes et de fleurs. Ce décor est entrecoupé de quatre blasons faisant référence aux titres et fonctions de l'archiduc. La monture est suspendue à trois chaînes, elles-mêmes suspendues au blason de l'ordre Teutonique. Médaille italienne d'Alessandro Abondio (v. 1570–1648), 1612 ; monture de même époque.

Dans les pays germanophones, la médaille en or ou en argent doré, non montée et portée en pendentif au bout d'une chaîne en or, évolua à la fin du XVIe siècle. C'est ainsi qu'apparut le *Gnadenpfennig*, un pendentif enrichi d'une monture en or ouvragée et émaillée [24]. Le nombre de chaînettes auxquelles il est suspendu varie d'un à trois, et la bélière peut être fixée à un décor de volutes ou à un cartouche armorial. On trouve aussi des armoiries sur les montures ; les blasons, qui renseignent sur la naissance et le rang, varient en nombre. Le *Gnadenpfennig* exécuté v. 1612 et représentant l'archiduc Maximilien III d'Autriche [36] en a quatre, séparés par des volutes, des fleurs de lis et autres fleurs de diverses couleurs. Il est suspendu à trois chaînettes, elles-mêmes suspendues à un cartouche comprenant un blason ovale sommé d'une couronne. D'un côté figurent les armes de l'Autriche ; de l'autre, la croix noire sur fond blanc de l'ordre Teutonique. La médaille ovale de 1611 dont une face représente l'électeur de Saxe Jean-Georges Ier, et l'autre son épouse, Madeleine-Sibylle, est exceptionnellement entourée de dix blasons [37]. Cette monture, agrémentée en outre de trois pendeloques de perle, est suspendue à trois chaînettes fixées à un cartouche armorial sommé d'un bonnet d'électeur. Cette monture a été fabriquée par Abraham Schwedler, orfèvre à Dresde. Un autre orfèvre de Dresde, Gabriel Gipfel, a réalisé une monture ajourée, à décor de volutes émaillé, pour la médaille de Tobias Wolff (1589) représentant l'électrice Sophie [38]. La monture est suspendue à trois chaînettes, elles-mêmes suspendues à un élément décoratif à base de volutes. Le portrait émaillé donne l'illusion d'avoir été peint. L'émail a été utilisé de manière différenciée : à certains endroits, il n'y en a pas du tout ; à d'autres, seul le fond du décor est émaillé ; à d'autres encore, l'émail n'a servi qu'à mettre en lumière les détails du vêtement. À l'instar d'autres bijoux de la même

37 *Gnadenpfennig* en or représentant sur une de ses faces Madeleine-Sibylle de Saxe (1587–1659). La monture, constituée de dix blasons et agrémentée de trois pendeloques de perle, est suspendue à trois chaînettes fixées à un cartouche armorial sommé d'un bonnet d'électeur. Médaille de Daniel Kellerthaler (1600–1656 ?) et monture d'Abraham Schwedler (actif 1612–1647), Dresde, 1611 – année où l'époux de Madeleine-Sibylle devint électeur de Saxe, sous le nom de Jean-Georges Ier. 111 x 53 mm.

époque, les médailles peuvent être entourées d'une couronne de laurier [39], de trophées d'armes [40] ou encore d'un bord renflé, orné de fleurs à cinq pétales et de têtes de putti [41] ou de cuirs et de grotesques ailés représentés à mi-corps [42]. Il est clair que plus la monture était importante, plus l'honneur conféré par la médaille était grand. Dans un portrait de 1621, une jeune femme de la famille Von Remstede de Hambourg porte un *Gnadenpfennig* représentant le duc Frédéric III de Holstein-Gottorp ainsi que trois médailles en or au bout de chaînes en or ouvragées chacune différemment.

Si les *Gnadenpfennige* peuvent être considérés comme la contribution germanique à l'histoire du bijou Renaissance, leur port fut adopté en Angleterre, et Shakespeare y fait allusion dans *Le Conte d'hiver* : « Celui qui la porte accrochée au cou comme une médaille [25]. » Deux variantes anglaises absolument remarquables représentent la reine Élisabeth Ire. L'une d'elle, un portrait en buste de la reine découpé en forme de silhouette [43, 44], porte au revers, sous le monogramme royal, son emblème, un phénix en flammes. La couronne de feuilles vertes et de roses blanches et rouges dans laquelle ce portrait est inscrit indique qu'Élisabeth Ire descendait à la fois de la maison d'York et de la maison de Lancastre, unies par le mariage de son grand-père Henri VII. Son autorité est évoquée au travers de sa pose majestueuse mais aussi de la magnificence de sa robe et de ses bijoux. Le phénix, animal fabuleux capable de renaître de ses cendres, fait en outre allusion à ses qualités de femme d'État [cf. 61].

Un autre médaillon anglais – le médaillon « Armada », renfermant un portrait en miniature de la reine – a une dimension encore plus politique [45–48]. Son couvercle est constitué d'une médaille en or représentant la reine de profil et en buste sur un fond bleu. Autour de ce portrait, on peut lire en majuscules romaines ELIZABETHA D.G. ANG. FRA. ET HIB. REGINA (« Élisabeth,

38 *ci-contre* Médaille en or émaillé, montée en pendentif. Elle représente l'électrice Sophie (1568–1622), qui épousa Christian Ier de Saxe en 1582. La monture ajourée, à décor de volutes, est suspendue à trois chaînettes, elles-mêmes suspendues à un élément décoratif à base de volutes. Médaille de Tobias Wolff (actif 1567–v. 1606), 1589 ; monture de Gabriel Gipfel (actif 1591–1617), Dresde. 108 x 64 mm.

ERNESTVS · BAVARIÆ · DVX

39 *ci-contre* *Gnadenpfennig* en or représentant le duc Ernest de Bavière (1554–1612). La médaille est entourée d'une couronne de laurier émaillée, agrémentée d'une pendeloque de perle et suspendue à trois chaînettes. Celles-ci sont elles-mêmes suspendues à un cartouche serti d'une pierre de couleur. 95 x 48 mm.

40 *à droite* Gravure d'un *Gnadenpfennig* représentant le comte Charles-Louis de Sulz (1560–1616). La médaille est entourée de trophées d'armes composés entre autres d'un casque, d'une épée, d'un drapeau enroulé sur une lance, d'une cuirasse et d'un fût de pique. Gravure de Valentin Maler (actif à Nuremberg 1567–1603) (?), 1596.

41 *Gnadenpfennig* en or représentant le duc Guillaume V de Bavière (1548–1626). La monture en or émaillé, à décor de têtes de putti et de fleurs à cinq pétales, est sommée d'un bonnet d'électeur. Médaille néerlandaise due à Hubert Gerhard (actif 1581–1613) (?), 1587 ; monture postérieure à 1587. 111 x 43 mm.

42 *Gnadenpfennig* en or représentant Ernest de Bavière (1554–1612), archevêque-électeur de Cologne. Ajourée, la monture en or émaillé est composée de figures ailées, juvéniles et androgynes, représentées à mi-corps. Cette monture, sommée du blason et du bonnet d'électeur d'Ernest de Bavière, est suspendue à trois chaînettes en or, elles-mêmes suspendues à un élément décoratif à base de volutes. Le bas de la monture est orné d'une tête de chérubin ailée. Ernest devait sa position à son frère, Guillaume V de Bavière. Médaille de Hans Reimer (1557–1604), Munich, 1593 ; monture de Hans Reimer (?). 91 x 50 mm.

43, 44 Avers et revers d'un pendentif composé d'une médaille en or représentant en buste, sous forme de silhouette, Élisabeth Ire, reine d'Angleterre, entourée d'une couronne de roses blanches et rouges émaillées qui, représentant respectivement la maison d'York et la maison de Lancastre, indiquent que la reine descend d'Henri VII, le roi ayant uni les deux maisons par son mariage. Le portrait s'inspire d'un portrait en miniature de la reine peint en 1572 par Nicholas Hilliard. Au revers, l'emblème de la reine – un phénix en flammes – apparaît en relief sous son monogramme couronné. Médaille et monture, v. 1570–1580. DIAM. 46 mm.

par la grâce de Dieu, reine d'Angleterre, de France et d'Irlande »). Le médaillon est inséré dans une monture ponctuée de diamants et de rubis. La reine apparaît comme la protectrice de son royaume, comme l'indique l'inscription en italique à l'intérieur du couvercle – HEI MIHI QUOD TANTO VIRTUS PERFUSA DECORE NON HABET ETERNOS INVIOLATE DIES (« Dommage que tant de vertu assortie de beauté ne puisse demeurer à jamais inviolée ») – ainsi que l'arche émaillée au revers du médaillon, qui symbolise l'Église d'Angleterre et est entourée d'une inscription évoquant la fermeté avec laquelle la reine régla l'épineux problème religieux – SAEVAS TRANQUILLA PER UNDAS (« solide dans les mers houleuses »). Les sources de cette iconographie sont assez complexes : le buste de la reine s'inspire de l'insigne de l'ordre de la Jarretière de 1582 ; le vers entourant la rose Tudor a été composé par Walter Haddon, maître des requêtes à la cour, et publié dans *Poemata* (1567) ; la miniature a été peinte par Nicholas Hilliard ; le symbole de l'arche et la devise qui l'accompagne figurent sur une médaille de 1585 représentant la reine. Selon la tradition, elle fit cadeau de ce médaillon à sir Thomas Heneage, son vice-chambellan, pour célébrer la victoire de la flotte anglaise sur l'Armada en 1588.

Dans le portrait du futur Christian IV exécuté à la même époque au Danemark, celui-ci, alors âgé de sept ans, porte une médaille représentant son père. La monture à décor de volutes émaillé est suspendue à trois chaînes en or [49]. Au cours de son règne, de 1596 à 1648, Christian IV offrit de nombreuses médailles de ce type. Au moins deux ont survécu. Celle de Nicolaus Schwabe, complétée d'une chaîne, a été offerte à l'artiste Pierre Paul Rubens [50]. L'autre s'accompagne d'une chaîne émaillée.

45–48 Avers et revers du médaillon « Armada », v. 1588. L'avers (en haut à droite) se présente sous la forme d'une médaille en or à l'effigie d'Élisabeth Ire, assortie d'une monture émaillée, ponctuée de diamants et de rubis. Le revers (en bas à gauche) comprend un portrait en miniature de la reine peint par Nicholas Hilliard (1547–1619) et une monture émaillée. L'extérieur du couvercle protégeant la miniature (en haut à gauche) est émaillé d'une arche qui, représentant l'Église d'Angleterre, vogue dans une mer houleuse. L'intérieur de ce même couvercle (en bas à droite) est émaillé d'une rose Tudor entourée d'une inscription vantant les mérites de la reine. H. 70 mm.

PER VNDAS SÆVAS TRANQVILLA
Hei mihi quod tanto virtus perfusa decore non habet eternos inviolata dies

Kong Christian 4
(f. 1577. d. 1648)
som Dreng. Malet af Hans Knieper.
131

49 *ci-contre* Christian IV (1577–1648), prince héritier de la couronne du Danemark, peint à l'âge de sept ans par Hans Knieper (v. 1585). Il porte, au bout d'une triple chaîne en or, une médaille qui représente son père, Frédéric II de Danemark (1534–1588), assortie d'une monture en or émaillé.

50 *à droite* Portrait en médaille de Christian IV avec bélière. Médaille de Nicolaus Schwabe (maître de la Monnaie à Copenhague, actif jusquen 1629), commémorant le couronnement du roi en 1596. DIAM. 38 mm. Cette médaille fut offerte (avec sa chaîne) par Christian IV à Pierre Paul Rubens v. 1620 – peut-être par l'entremise de son secrétaire qui rendit visite à l'artiste en 1624.

Les miniatures

La miniature ou peinture de petite dimension minutieusement exécutée à l'aquarelle sur du vélin, qui fut une des formes artistiques préférées des souverains, vit le jour à la cour de François Ier grâce à Jean Clouet. Celui-ci emprunta en effet le portrait « fidèle » aux pages des manuscrits enluminés et lui conféra la même fonction de mobilité que les portraits en médaille. Le portrait miniature a la même dimension et la même forme que le portrait en médaille, mais il va beaucoup plus loin car il n'est pas nécessairement de profil et sa gamme chromatique est illimitée. Comme les camées et les médailles, les miniatures étaient d'une dimension qui permettait facilement de les monter en bijoux. Elles pouvaient donc être offertes comme marque de faveur ; elles constituaient par ailleurs une nouvelle forme de cadeau diplomatique.

C'est en 1526, au cours des préliminaires du traité d'Amiens, que des miniatures furent pour la première fois utilisées pour promouvoir de bonnes relations entre deux royaumes : la duchesse Marguerite d'Alençon envoya à Henri VIII des portraits de son frère François Ier et de ses deux fils. Au cours de la même année, les deux jeunes princes avaient été donnés en otages en échange de la libération de leur père, qui avait été fait prisonnier par l'armée de Charles Quint lors de sa défaite à la bataille de Pavie. On espérait qu'une alliance avec l'Angleterre pourrait aboutir à la libération des enfants. Selon Gasparo Spinelli, un diplomate vénitien en poste à Londres, les miniatures étaient insérées à l'intérieur de médaillons circulaires « en or finement ouvragé » (légèrement plus grands que les *specchi di fuoco*, littéralement « miroirs de feu », vendus sur la place Saint-Marc). Le couvercle de la miniature représentant François Ier était orné de « deux colonnes se dressant sur le sol ; entre l'une et l'autre, la mer sépar[ait] la terre sur laquelle chacune d'elles [était] placée ; l'une [était] de couleur blanche et l'autre de couleur violette ». Les deux colonnes, évoquant les deux monarques, étaient attachées l'une à l'autre et leur sommet couvert d'un chapiteau violet ; autour d'elles, une inscription en latin célébrait l'amitié des deux souverains séparés par la distance et la mer. La plaque blanche exécutée à l'antique sur le couvercle de l'autre miniature – qui réunissait les portraits du dauphin et du duc d'Orléans – portait une inscription en latin invitant « l'ami véritable » à rendre les deux enfants à leur patrie. Le revers était orné d'une chaîne nouée avec différents types de nœuds. Spinelli pensait que les deux colonnes représentaient la France et l'Angleterre, la colonne blanche symbolisant la foi et la violette, l'amour [26].

Ces bijoux ont disparu, de même que ceux répertoriés en 1561 dans un inventaire des biens de la veuve de François II, la reine d'Écosse Marie Stuart, à savoir un portrait en miniature de son père Jacques V dans un médaillon en or en forme de pomme, et une ceinture composée d'une suite de 44 chiffres rouges et blancs et du portrait de son beau-père, Henri II [27]. Dans un testament daté de 1566, la reine avait indiqué son intention de léguer à Margaret Carwood, sa femme de chambre préférée, un portrait en miniature monté sur une croix de diamants [28]. Par la suite, au cours de sa captivité en Angleterre, elle continua à commander des miniatures en France. En 1575, elle écrivit à James Beaton, son ambassadeur là-bas : « Dans ce pays, quelques-uns de mes amis me demandent mon portrait. Je vous prie de faire faire quatre de ceux-ci, de les assortir d'une monture en or et de me les envoyer en secret [29]. »

Au début des années 1560, la reine douairière Catherine de Médicis, veuve d'Henri II, donna une nouvelle impulsion à l'art

51, 52 Pendentif en or double face, présentant sur une face le portrait en miniature de Marie Stuart (1542–1587), reine des Écossais, et, sur l'autre, celui de son père, Jacques V (1512–1542), roi d'Écosse. La monture, à décor de volutes émaillées, est bordée de semences de perle en torsade. 44 x 35 mm.

de la miniature, en s'efforçant de diffuser des portraits de la famille royale tant en France qu'à l'étranger en vue de faire aboutir des pourparlers de mariage. En 1571, elle commanda un certain nombre de miniatures à l'orfèvre de la cour, François Dujardin, lui précisant même la taille exacte requise et les bijoux dans lesquels les insérer. L'une d'elles fut intégrée à un pendentif fabriqué pour la reine, d'autres à un miroir et diverses plaques destinés au duc et à la duchesse de Savoie, tandis que deux autres furent montées respectivement en enseigne de chapeau et en fermoir de bracelet pour le duc et la duchesse de Lorraine, tous ces bijoux portant les emblèmes et les devises spécifiés par le fils de Catherine de Médicis, Charles IX [30]. Un médaillon abritant les portraits en miniature de la reine douairière et de Charles IX peints par François Clouet témoigne aujourd'hui de la qualité du travail de Dujardin [53–56]. L'avers de ce médaillon ovale est émaillé de la couronne de France. Celle-ci est soutenue par deux colonnes reposant sur des plinthes sur lesquelles sont représentées les tables de Moïse et le *Lex XII Tabularum* (le code civil de la Rome antique). Les deux colonnes sont flanquées de figures incarnant la Piété et la Justice et tenant ensemble un rameau d'olivier. Tous les éléments de ce décor – composé par Michel de L'Hôpital, chancelier de France – montrent de manière emblématique ce sur quoi repose un bon gouvernement. Au revers, le C rouge et le C blanc entrelacés et couronnés représentent Charles IX et sa mère Catherine de Médicis. Ils sont entourés de fruits et de fleurs exécutés en haut-relief.

Plus tard dans le siècle, Gabrielle d'Estrées, favorite d'Henri IV, laissa à sa mort, en 1599, pas moins de vingt portraits du roi montés en bijoux, notamment « un ornement de tête [composé de] plumes toutes en diamants, avec le portrait du roi au milieu, le reste garni de diamants "avec un grand rubiz en cabochon et un autre en table" », ainsi qu'« une bouëtte de peinture esmaillée de gris, sur laquelle y a[vait] des diamans, où [était] le chiffre du Roy, et à costé d'iceluy

53–56 *ci-contre et ci-dessus* Quatre vues d'un médaillon en or émaillé renfermant les portraits en miniature de Catherine de Médicis (cf. ill. 20) en habit de deuil, et de son fils, Charles IX (1550–1574). Sur l'avers, la couronne de France est soutenue par deux colonnes, flanquées des personnifications de la Piété et de la Justice, comme l'indique le phylactère, et qui reposent sur les Dix Commandements et les lois de la Rome antique. Au revers figurent deux C, l'un pour Catherine et l'autre pour Charles, sommés d'une couronne royale et entourés d'un entrelacs de fruits et de fleurs représentant la prospérité. Miniatures attribuées à François Clouet (1520–1572) ; monture de François Dujardin († 1575), v. 1572. H. 61 mm.

quatre S […] ; et aux coins quatre petits triangles de diamans [31] ». La fermesse – un S « fermé », c'est-à-dire barré d'un trait, dérivé du mot *signum* signifiant « signature » – était utilisée pour indiquer la constance et s'accompagnait parfois de la lettre grecque *phi*, censée peut-être faire allusion à la fidélité par une sorte de jeu de mots. On attribue à Étienne Delaune une composition comportant trois fermesses et trois *phi* destinée à orner le revers d'un médaillon renfermant une miniature [58]. Quelques mois après la mort de Gabrielle d'Estrées, Henriette d'Entragues, qui lui succéda dans le cœur du roi, envoya à celui-ci son propre portrait en miniature. Le roi apprécia la magnifique monture, car « à un tel oiseau il faut une belle cage [32] ». Marie de Médicis, qui épousa Henri IV en 1600, possédait d'importants bijoux comportant des miniatures, notamment

> Ung grand bracelet a mectre a l'entour du bras, contenant douze pieces dont celle du milieu est faicte en façon de boueste avec une devise dessus, garny de deux grandz diamens en table, deux perles en poire et ung rubis taillé a facettes et plusieurs petitz diamens a l'entour pour l'ornement. Cinq autres pieces aussi faictes en bouestes a mectre portraict ayant des devises au dessus et garnies chacunes de plusieurs diamens pour ornement, et six autres pieces faictes en façon de noeud esmaillez de blanc, entrelassez de fleches et flammes ayant chacune ung diament de moienne grandeur en table au milieu et quatre en poincte aux quatre coings et plusieurs autres petitz diamens pour ornement [33].

En dehors de la cour, la mode du portrait en miniature monté en bijou fut adoptée par tous ceux qui pouvaient financièrement se permettre de commander le portrait d'êtres aimés. Ces minia-

57 *ci-contre* Portrait d'une veuve portant un pendentif composé d'un portrait en miniature de feu son époux, serti dans une monture orfèvrée. Leur petite fille tient le portrait d'une main, comme si le défunt était encore près d'elles. École française, v. 1590.

58 Dessin de deux propositions de décor (à gauche et à droite) pour le couvercle d'un médaillon renfermant une miniature, attribué à Étienne Delaune. Le décor comprend le monogramme AAGG et, en alternance, des *phi* et des fermesses au milieu de rinceaux et de cornes d'abondance.

tures étaient entre autres un moyen d'entretenir le souvenir des défunts comme en témoigne clairement le portrait d'une veuve et de sa fille peint v. 1590 [57]. Le pendentif richement ornementé, comprenant un portrait en miniature du défunt, occupe une place centrale : il est accroché à la ceinture de la robe noire que porte la veuve, et l'enfant, guidée par la main gantée de sa mère, le tient dans sa main tel un objet sacré.

Dans le reste de l'Europe, le portrait en miniature était assorti de différentes sortes de montures : il pouvait être inséré dans un médaillon et associé à un portrait en médaille [59], au revers d'un miroir rhomboïdal émaillé de grotesques [60], ou dans le chaton d'une bague, les armoiries permettant d'identifier la personne représentée étant dans ce cas placées au revers du chaton [34].

Pendant ce temps, en Angleterre, le portrait en miniature s'était imposé et était devenu une forme d'expression artistique nationale. Henri VIII, qui avait été le premier roi à s'enthousiasmer pour cet art, avait répondu au cadeau de la duchesse d'Alençon en lui faisant parvenir des portraits de lui-même et de la princesse Marie accompagnés de chiffres et d'emblèmes, dont l'envoyé qui les avait remis à la cour de France avait été chargé d'expliquer le sens. François Ier trouva le portrait d'Henri VIII si ressemblant qu'il ôta son chapeau en précisant qu'il connaissait bien ce visage et, s'adressant au portrait comme s'il s'agissait d'Henri VIII en personne, déclara qu'il priait pour que Dieu lui accordât une vie longue et heureuse avant d'ajouter qu'aucun autre cadeau n'aurait pu lui faire plus plaisir [35]. Aucune des miniatures commandées par Henri VIII à Lucas Horenbout puis à Hans Holbein n'a conservé sa monture d'origine, mais une lettre adressée à Anne Boleyn en 1527 nous en donne un aperçu : le roi évoque en effet le cadeau qu'il lui a fait, un portrait de lui « monté en bracelet, avec tous les emblèmes que vous connaissez déjà [36] ».

59 Dans un médaillon suspendu à trois chaînettes figurent, dissimulés sous une médaille en or, le portrait en miniature du duc Louis de Wurtemberg (1554–1593) et celui de sa première épouse, Dorothée de Bade. Stuttgart, v. 1582. 92 x 42 mm.

60 *ci-contre* Revers de miroir en or avec, en son centre, dissimulé sous un couvercle, un portrait en miniature de l'électrice Sophie de Saxe (voir ill. 38) peint sur argent. Décor émaillé de grotesques, de fleurs, d'animaux et de volutes. Sud de l'Allemagne, v. 1600. 15 x 11 cm.

61, 62 *cette page et ci-contre*
Médaillon offert par Élisabeth Ire à sir Francis Drake. À l’intérieur ont été peints en miniature un portrait de la reine – entouré de rubis – et son emblème, le phénix. Le couvercle comprend un camée en sardonyx représentant un souverain noir et son épouse. La monture en or, au décor ciselé et émaillé, est ponctuée de diamants et de rubis en table, et agrémentée de pendeloques de perle. Miniatures de Nicholas Hilliard, 1588 ; monture de même époque.
H. 117 mm.

La princesse Marie, sa fille, possédait d'autres portraits en miniature de lui, notamment « une broche contenant l'image du roi Henri VIII et de la reine avec, au-dessus, une couronne en diamants, au-dessous, une rose en diamants et, de chaque côté, une figure masculine en diamants [37] » ; mais aussi « une plaque en or ayant, d'un côté, le portrait du roi peint et, du même côté, une rose de diamants et de rubis composée de cinq diamants et six rubis, bordée de cinq très petits diamants, avec, au-dessus et au-dessous, un rubis bordé d'un plus petit nombre de très petits diamants ; de l'autre côté sont représentées deux figures masculines [38] ».

Nicholas Hilliard, le peintre de miniatures de la reine Élisabeth, s'employa, comme l'exigeait le programme politique [61] de cette dernière, à la rajeunir et à idéaliser ses traits dans une série de portraits sublimes, minutieusement exécutés. Comme il était par ailleurs orfèvre, il doit aussi avoir participé à la fabrication de leurs montures. Certains de ces portraits en miniature furent insérés dans des bijoux et accessoires que possédait la reine car, comme le fit remarquer Horace Walpole, « elle aimait les portraits d'elle [39] ». Citons, par exemple, l'éventail que lui avait donné sir Francis Drake en 1587 [40] et un pendentif ovale rehaussé de rubis et de diamants, dont le couvercle [41] portait le nœud héraldique et la devise de la famille Heneage, FAST THROUGH UNTIED (« solide bien que sans attache »). D'autres furent envoyés à divers monarques. En Angleterre, les récipiendaires de ces portraits étaient bien conscients du fait que la qualité du bijou reflétait l'honneur conféré, comme en témoigne ce qu'écrivit lord Zouche à sir Robert Cecil en 1598 : « J'aimerais avoir, pour le mettre dedans, une boîte au décor aussi riche que l'honneur qui m'est fait est grand [42]. » Ainsi, le portrait en miniature situé à l'intérieur du célèbre médaillon que la reine offrit à sir Francis Drake dans les années 1580 [61, 62] est entouré de rubis ; son emblème – le phénix, parangon de toutes les vertus – lui fait face ; un camée en sardonyx représentant un souverain noir

63 *ci-contre* Portrait de lady Seaton, une descendante de sir Francis Drake. Dans ce portrait peint en 1884 par Edwin Lang, lady Seaton porte, suspendu à un double rang de perles, le pendentif offert par la reine Élisabeth Ire à sir Francis Drake.

et son épouse blanche orne le couvercle ; et la monture en or, à décor de volutes ciselé et émaillé, ponctué de diamants et de rubis en table, est agrémentée de pendeloques de perle. Un portrait de sir Francis Drake datant de 1591 le montre arborant, au bout d'une longue chaîne en or, ce bijou témoignant de son dévouement à la reine et des bonnes dispositions de celle-ci à son égard. Ce bijou passa de génération en génération puisque lady Seaton, une descendante de sir Francis Drake, le porte en pendentif dans un portrait de 1884 [63].

Une monture d'origine plus emblématique est constituée d'un couvercle ajouré, au centre duquel est inscrite, au milieu d'un décor de volutes rehaussé de rubis et de diamants [64], une étoile dont les branches sont alternativement droites ou fourchues. Cette monture renforce le message véhiculé par la miniature [65] qui, représentant la reine avec de longues boucles dorées, la fait apparaître, telle la *Stella Britannis* (Étoile de la Grande-Bretagne), éternellement jeune, belle et vierge. Le revers est émaillé d'un décor de dauphins, de feuilles et de fleurs, symétrique et multicolore, se détachant sur un fond noir. De même que pour les portraits en camée ou en médaille de la reine, Hilliard a réussi à donner forme aux vers que le poète français Georges de La Motthe écrivit en 1586 alors que, réfugié, il demandait de l'aide :

> Qui voudra figurer, d'un ouvrage parfect,
> La beauté, la Vertu, l'Ornement, et les graces,
> De Nature, des Dieux, de l'Univers, des Graces,
> Accoure contempler la grand' ELIZABETH.

Après l'accession au trône de Jacques Ier en 1603, lui-même et son épouse Anne commandèrent des miniatures tout d'abord à Nicholas Hilliard, puis de plus en plus souvent à Isaac Oliver, car ils avaient compris, à l'instar d'Élisabeth Ire, que diffuser des portraits

de la famille royale à l'intérieur du pays et à l'étranger servait les intérêts de la dynastie et était important d'un point de vue politique. Dès 1603, lady Arabella Stuart vit l'ambassadeur d'Espagne, le comte d'Arenberg, offrir au roi Jacques Ier des portraits en miniature « le plus excellemment dessinés [43] » de l'archiduc Albert, gouverneur des Pays-Bas, et de son épouse, l'infante Claire-Eugénie. L'alliance avec l'Espagne, entérinée à Londres en 1604, fut donc marquée par des échanges non seulement de portraits en pied mais aussi de portraits en miniature enchâssés dans des médaillons rehaussés de gemmes. C'est ainsi que sir George Carew, vice-chambellan de la reine, offrit au gouverneur de Castille un collier de perles destiné à son épouse ainsi que des médaillons qui, fabriqués par l'orfèvre de la cour sir John Spilman, contenaient les portraits du couple royal. L'année suivante, la reine Marguerite d'Espagne offrit en retour son portrait en miniature et celui de Philippe III, tous deux peints par Juan Pantoja de la Cruz et placés à l'intérieur de médaillons sertis de diamants [44]. Ces médaillons n'existent plus, mais un autre, envoyé par Jacques Ier à l'empereur Mathias à Prague, donne une idée de la qualité de ces cadeaux diplomatiques [4, 67–69] : le couvercle porte un camée en sardonyx représentant un empereur romain ; le revers, des rubis et des diamants au milieu d'un décor de grotesques, de fleurs et de feuilles ciselé et émaillé ; l'intérieur est tapissé d'un décor dense multicolore. Le statut de la personne représentée est désormais plutôt indiqué par la valeur des pierres utilisées que par des symboles ou figures allégoriques.

Le premier médaillon à témoigner de cette nouvelle importance accordée aux pierres est celui que Jacques Ier offrit en 1610 à Thomas Lyte [70–72] pour le remercier d'avoir établi son arbre généalogique : ce dernier était remonté jusqu'à Brutus, « le très noble père fondateur des Bretons », en passant par des Écossais,

64–66 *ci-contre et cette page*
Trois vues d'un médaillon renfermant une miniature qui représente la reine Élisabeth Ire en *Stella Britannis* (« Étoile de la Grande-Bretagne »). Le couvercle ajouré est serti de diamants et de rubis en table, groupés autour d'une étoile ; le revers est émaillé d'un décor de feuilles, de fleurs et de dauphins, symétrique et multicolore, se détachant sur un fond noir. Minature de Nicholas Hilliard, v. 1600 ; monture de même époque. 64 x 48 mm.

67–69 Trois vues d'un médaillon qui contenait à l'origine un portrait en miniature de Jacques Ier, roi d'Angleterre et d'Irlande, et roi d'Écosse sous le nom de Jacques VI (voir ill. 72). Ce médaillon, agrémenté d'une pendeloque de perle, fut envoyé par le roi à l'empereur Mathias à Prague. L'intérieur est émaillé de diverses couleurs ; l'avers porte un camée en sardonyx représentant un empereur romain, peut-être Claude ; le revers présente un décor de volutes et de grotesques ponctué de diamants et de rubis en table. Fabrication française (?), v. 1575–1590. H. 80 mm. (Voir détail, ill. 4)

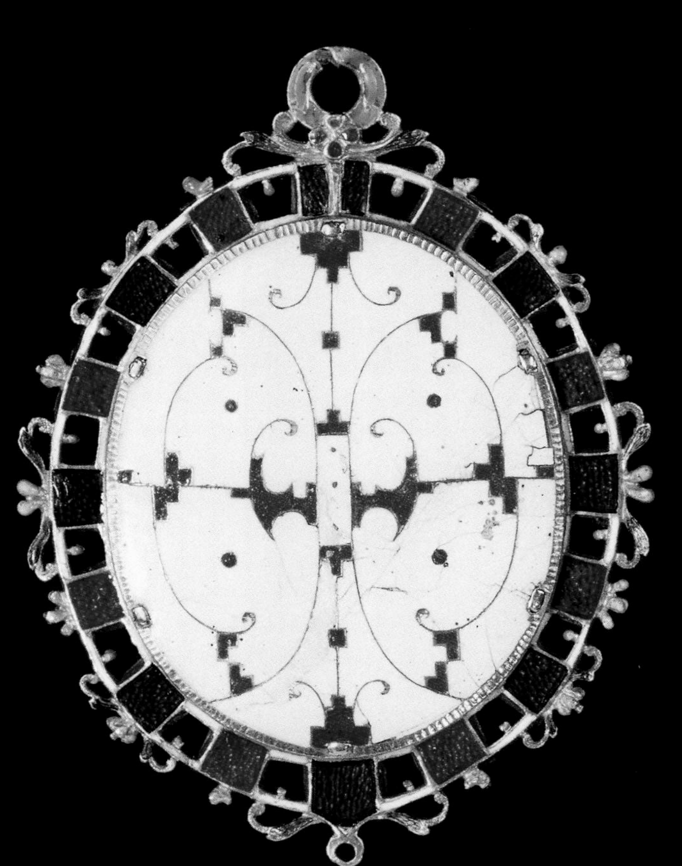

70–72 Trois vues du pendentif offert à Thomas Lyte par Jacques Ier. Le portrait en miniature du roi est entouré de diamants en table. Il est placé sous un couvercle ajouré portant le chiffre du roi, IR, garni de diamants. Ce médaillon était à l'origine agrémenté d'une pendeloque de diamant, trilobée. Le revers est émaillé d'un décor rouge et blanc façon *blackwork*. Miniature de Nicholas Hilliard, 1610 ; monture de même époque. 65 x 48 mm.

des Romains, des Saxons, des Danois et Charlemagne. Le portrait en miniature du roi Jacques Ier, œuvre de Nicholas Hilliard [72], est en partie dissimulé derrière un couvercle ajouré, présentant un décor de fleurs et de feuilles émaillé de diverses couleurs, au milieu duquel se situe le monogramme du roi, garni de diamants : IR (pour Iacobus Rex – roi Jacques). La monture est complétée d'une bordure enrichie de 16 diamants. Le revers du médaillon est émaillé d'un décor rouge façon *blackwork* sur fond blanc [71]. Un médaillon plus petit, renfermant aussi un portrait en miniature du roi peint par Nicholas Hilliard, est en revanche plus traditionnel. Le portrait du roi est entouré d'une monture rayonnante ; il fait face à la devise et à l'emblème de l'arche voguant dans une mer houleuse peints à l'intérieur du couvercle. Avec ce portrait, Jacques Ier s'inscrivait dans la lignée d'Élisabeth Ire, qui aimait à montrer au travers de ses portraits que la paix et la sécurité de ses sujets, confrontés à des troubles religieux et politiques, dépendaient d'elle [cf. 45].

Des documents attestent que Hilliard fut chargé par le roi, comme il l'avait été par Élisabeth Ire, de fabriquer des montures pour certaines miniatures [45], notamment pour les portraits du prince de Galles, Henri, de son frère Charles et de sa sœur Élisabeth. Hilliard a peut-être aussi exécuté la monture du portrait en miniature du beau duc de Buckingham, favori du roi, dont celui-ci disait porter le portrait « suspendu à un ruban bleu, sous [s]on gilet, près de [s]on cœur [46] ».

C'est l'orfèvre écossais George Heriot qui fabriqua le médaillon offert en 1610 par la reine Anne à sa demoiselle d'honneur, lady Anne Livingston, future comtesse d'Eglinton : ce médaillon [73, 74] porte le chiffre de la reine, CAR ; celui-ci, garni de diamants et flanqué de deux fermesses (symbolisant la constance), se situe au-dessus de deux C entrelacés. Lady Anne Livingston, dans un de ses portraits [75], porte le médaillon sur son cœur, au bout d'un ruban, c'est-à-dire de la même manière que la reine porte les siens dans ses

73, 74 Deux vues d'un médaillon en or émaillé, renfermant un portrait en miniature de la reine Anne († 1618), épouse du roi d'Angleterre Jacques Ier, également roi d'Écosse sous le nom de Jacques VI. La reine l'avait offert à lady Anne Livingston, comtesse d'Eglinton (voir ill. 75). Le couvercle porte le chiffre de la reine, CAR. Celui-ci est garni de diamants et flanqué de deux fermesses. Au-dessus se situe la couronne royale ; au-dessous, deux C entrelacés.
Le chiffre de la reine est en outre encadré par quatre diamants enchâssés dans des quadrilobes. Miniature due à l'entourage de Nicholas Hilliard, 1610 ; monture de George Heriot (1563–1623), orfèvre à Édimbourg. H. 76 mm.

75 Dans ce portrait, lady Anne Livingston († 1632), comtesse d'Eglinton, porte sur le cœur, au bout d'un ruban, le médaillon que lui avait donné la reine Anne et qui renfermait un portrait de celle-ci (voir ill. 73, 74), v. 1612.

portraits peints par Van Somer et Marcus Gheeraerts. Un de ces médaillons lui avait été donné par son frère, Christian IV de Danemark, lors de la visite d'État qu'il avait effectuée en Angleterre en 1606 : « Il l'[avait] emmen[ée] dans sa cabine et, lui donnant familièrement une tape dans le dos comme lorsqu'ils étaient enfants, lui [avait] off[ert] son propre portrait agrémenté d'une riche monture. » En août 1605, elle lui avait envoyé le sien avec le message suivant : « J'envoie ci-joint mon portrait, que je vous prie amicalement et fraternellement de porter pour me faire plaisir, en pensant à moi avec l'affection d'un frère, comme je porte sur ma robe un portrait qui vous rappelle chaque jour à la mémoire d'une sœur qui vous est dévouée [47]. » Elle portait apparemment toujours une de ces miniatures, qu'elle renvoyait souvent à George Heriot pour faire réparer les médaillons. Heriot répara certes les médaillons qu'on lui confia, mais il fabriqua aussi des couvercles en cristal de grande valeur ainsi que de nouveaux médaillons, dont deux de style naturaliste – avec, sur les deux faces, une rose et une feuille de laurier serties de diamants –, sans oublier « une bague sertie de 9 diamants, dont la tête s'ouvrait sur un portrait du roi logé à l'intérieur [48] ».

D'autres suivirent l'exemple de la famille royale, comme en témoigne la pièce de Shakespeare intitulée *La Douzième Nuit ou Ce que vous voulez*, dans laquelle Olivia dit à Viola : « Voici, portez ce joyau pour moi, c'est mon image [49]. » De nombreuses femmes auraient été fières de porter une miniature peinte par Hilliard représentant le comte George de Cumberland. Cet homme, l'archétype même de l'aventurier à l'époque élisabéthaine, avait commandé le navire *Bonaventure* au cours de la bataille navale s'étant soldée, en 1588, par la victoire de la flotte anglaise sur l'Armada. Le portrait saisissant du comte de Cumberland, daté de l'année suivante, est aujourd'hui encore dans son médaillon d'origine, qui présente un décor de cuirs entrecroisés et agrémenté de pendeloques de perle [76, 77]. Le couvercle d'un autre médaillon renfermant une miniature et censé avoir été offert par la reine à Catherine Walsingham et à sir Thomas Gresley à l'occasion de leur mariage [78–80] comporte un camée en sardonyx représentant en buste une femme noire voilée. La monture, rehaussée de rubis et d'émeraudes, est flanquée de deux garçons noirs émergeant chacun d'une corne d'abondance et décochant une flèche vers le haut. Le médaillon, finement émaillé au revers, est agrémenté de pendeloques de perle.

Lord Herbert a rapporté comment une folle admiratrice, lady Ayres, obtint avec beaucoup de difficulté une copie de son portrait par William Larkin, puis « la donna à M. Isaac, peintre à Blackfriars, pour qu'il fît un portrait un peu à sa manière. Elle fit ensuite fabriquer une monture en or émaillé, puis porta le pendentif autour du cou, si bas qu'il se trouvait dissimulé sous ses seins », ce qui rendait son époux furieux [50].

Bien que suffisamment de miniatures aient survécu pour confirmer leur popularité, les médaillons dans lesquels elles sont insérées ne sont souvent plus ceux d'origine. Le médaillon de la comtesse Alice de Derby, dans lequel se trouvait le portrait en miniature de son époux, était serti d'un grand nombre de diamants et portait au revers les initiales de ce dernier [51] mais, comme presque toutes les montures d'origine, à l'exception de quelques rares au décor émaillé, celle-ci a disparu. Et aussi beaux et colorés puissent être les émaux, ils sont fragiles : Miss Hamilton, une amie de la duchesse de Portland, en visite à Bulstrode en 1783 pour y voir la collection réunie par son amie, nota : « Sir Walter Raleigh et son fils dans un médaillon démodé, qui a été orné de pierres au milieu d'un grand décor émaillé de noir et de vert : il a appartenu à lady Raleigh, les chiffres – WR et E – sont restés, mais l'émail est endommagé [52]. »

76, 77 Pendentif renfermant un portrait en miniature du comte George de Cumberland (1558–1605). La monture, agrémentée de trois pendeloques de perle, présente un décor de zigzag noir et blanc. Le revers est orné de cuirs en or entrecroisés et de motifs bleus se détachant sur un fond or. Miniature de Nicholas Hilliard, 1589 ; monture de même époque. 47 x 38 mm environ.

78–80 Trois vues d'un médaillon en or agrémenté de perles et contenant les portraits en miniature de sir Thomas Gresley (1522–1610) et de son épouse, Catherine Walsingham (1559–1585). Le couvercle comporte un camée en sardonyx représentant une femme noire voilée. La monture émaillée, sommée d'un fronton et rehaussée de rubis et d'émeraudes, est flanquée de deux jeunes garçons noirs qui, représentés à mi-corps, émergent chacun d'une corne d'abondance et décochent une flèche. Le revers présente un décor symétrique. Miniatures de Nicholas Hilliard ; monture de même époque, v. 1574, année du mariage du couple. H. 69 mm.

2 *L'interprétation baroque* 1625–1715

Les portraits montés en bijoux datant de l'époque baroque sont encore plus rares que ceux de la Renaissance. À cette époque, la création des montures, jusqu'alors assurée par des orfèvres, fut confiée à des orfèvres-joailliers, qui les enrichirent d'un nombre bien plus grand de perles et de pierres. Ces gemmes étaient vouées, en raison de leur valeur intrinsèque, à être récupérées, retaillées et remployées par les générations suivantes dans de nouveaux décors plus au goût du jour. C'est pourquoi les montures du XVIIe siècle rehaussées de gemmes ont disparu. À l'époque baroque, on continua cependant aussi à créer des décors émaillés en utilisant toutefois une nouvelle technique. Celle-ci fut employée pour la première fois v. 1625–1630 par Jean Toutin à Châteaudun et par Isaac Gribelin et Christophe Morlière à Blois. Elle consistait à couvrir une surface en or d'une couche opaque d'émail blanc, noir ou bleu clair, puis à appliquer sur celle-ci, tel un peintre, un vaste éventail de couleurs. Les montures des portraits étaient essentiellement ornées de motifs de fleurs et de rubans, souvent associés à des rinceaux d'acanthe.

81 *ci-contre* Détail d'un portrait de l'officier du Yorkshire Daniel Goodricke, dans lequel celui-ci porte, suspendue à son écharpe, une médaille à l'effigie de Gustave-Adolphe de Suède (voir ill. 96).

SPERO

Les camées et les intailles

Les monarques continuèrent certes à commander leurs portraits à des graveurs sur gemmes, mais le nombre et la qualité des camées et intailles diminuèrent par rapport aux sommets qu'ils avaient atteints au cours du siècle précédent. Ce recul s'explique, dans la plupart des pays, par l'existence de dissensions religieuses et politiques, guère propices à favoriser l'épanouissement à la cour de cet art délicat et onéreux qu'était la gravure sur gemmes. Il est fait allusion à l'instabilité de la France – où s'affrontaient d'une part les huguenots et les catholiques romains, d'autre part la couronne et la noblesse – dans un camée en grenat représentant Louis XIII de face [82–83]. Ce portrait est agrémenté de divers éléments en or émaillé : couronne de laurier verte ; cuirasse vert, jaune et blanc avec une épaulière en forme de gueule de lion ; et manteau bleu, fermé par une broche. La monture est bordée de rinceaux. Au revers ont été gravés des emblèmes et des figures allégoriques qui font symboliquement référence à la victoire remportée sur les huguenots à La Rochelle, place forte protestante, en 1628 : un écu est revêtu d'une couronne et de L (pour Louis) entrelacés ; il est flanqué de branches de laurier et soutenu, au-dessus d'une femme assise, par deux putti ; cette femme, qui a les yeux bandés, tient, d'une main, une épée et un sceptre et, de l'autre, une plaque sur laquelle sont inscrits les mots PIETATE ET JUSTITIA ; à ses pieds sont représentés la couronne royale, le sceptre et la main de justice.

Bien que les arts aient connu une période florissante sous le long règne de Louis XIV, et que celui-ci se soit intéressé à la collection royale de pierres gravées et ait commandé pour celles-ci à Josias Belle, l'orfèvre de la cour, des montures à décor d'acanthes multicolore, parfois rehaussé de gemmes, les rares portraits en camée du roi ayant survécu ont des montures plus simples. Un camée en sardonyx le représentant de profil et datant des premières années de son règne est bordé de feuilles émaillées [84] ; un autre, datant de la fin de son règne et destiné à être porté en pendentif, est entouré de rinceaux en or finement ciselés [1]. Un des rares portraits en pierre dure de l'époque baroque parvenus jusqu'à nous est un portrait non identifié ayant appartenu à Jean-Baptiste Colbert, ministre tout-puissant de Louis XIV qui servit le roi à plus d'un titre à partir de 1661 et bénéficia de son entière confiance [2].

De l'autre côté de la Manche, l'art de la gravure sur gemmes reçut une nouvelle impulsion sous le règne de Charles Ier, qui non seulement engagea Anton Van Dyck pour peindre son portrait officiel mais eut aussi recours aux talents de lapidaire et de médailliste de Thomas Rawlins et de Thomas Simon – alors que ses parents, le roi Jacques Ier et la reine Anne, avaient montré peu d'intérêt pour la gravure sur gemmes. Les différentes crises ayant finalement abouti à la guerre civile limitèrent certainement le nombre des commandes, mais plusieurs portraits en camée du roi montés en bague, tant antérieurs que postérieurs à son exécution, ont survécu sur leur monture d'origine [85, 86] [3]. Celles ayant appartenu à des partisans des Stuart – qui considéraient le roi comme un martyr – sont ornées de symboles de *memento mori* et portent une inscription indiquant la date de décès du roi [4].

Si Rawlins suivit le roi Charles au cours de la guerre civile, Simon épousa le parti d'Oliver Cromwell qui, lorsqu'il devint le lord-protecteur du Commonwealth en 1653, le chargea de graver son portrait de chef d'État dans le respect de la tradition établie par les dynasties Stuart et Tudor [5]. Dans un portrait de Betty Claypole – la fille préférée d'Oliver Cromwell – peint par John

82, 83 Avers et revers d'un médaillon en or dont le camée en grenat, exécuté selon la technique du *commesso*, représente le roi de France Louis XIII (1601–1643). Le camée se détache sur un fond d'or à motifs géométriques, entouré d'un bord émaillé de feuilles, 1628. 78 x 63 mm. Au revers sont gravés des emblèmes faisant référence à la victoire remportée sur les huguenots à La Rochelle.

84 Médaillon en or dont le camée en sardonyx, représentant le jeune roi de France Louis XIV (1638–1715), est bordé de feuilles émaillées. Milieu du XVIIe siècle. 49 x 45 mm.

Michael Wright [87], celle-ci porte, suspendu à une longue chaîne, un pendentif comprenant un portrait en camée de son père, représenté en protecteur et portant une armure et un manteau, et qui s'inspire d'une médaille éditée pour commémorer sa victoire à Dunbar en 1650. Au revers d'un portrait en camée similaire [88] – peut-être est-ce d'ailleurs le même –, les armes de Cromwell (un lion rampant) ont été représentées sur celles couronnées du Commonwealth (croix de saint Georges, croix de saint André et harpe irlandaise). L'autorité personnelle de Cromwell est en outre soulignée par l'inscription entourant ces armes : OLIVER CROMWELL ANG: SCO: FRA: ET HIB: PRO: AN DOM 1657 (« Oliver Cromwell, Protecteur d'Angleterre, d'Écosse, de France et d'Irlande, *Anno Domini* 1657 »). Les diamants qui ornaient la monture ont été remplacés par des imitations en pâte de verre.

Les souverains allemands et autrichiens adoptèrent le coquillage pour leurs portraits dynastiques en camée. Ce matériau étant plus facile à sculpter que les pierres dures, il fut utilisé pour des séries de portraits qui, montés à relativement peu de frais, établissaient leur droit au trône. Ainsi, neuf portraits datant du milieu du siècle – ceux des rois et empereurs du Saint Empire romain germanique Albert Ier, Charles Quint, Maximilien Ier et II, Rodolphe II, Matthias et Ferdinand Ier, II et III –, chacun rehaussé d'une bordure en filigrane d'argent doré, furent conçus pour être suspendus ensemble à une même chaîne [6]. Ferdinand III fit valoir son droit et celui de ses héritiers à régner sur les terres des Habsbourg dans une série de pendentifs composés de camées sur turquoise, corail ou coquillage le représentant lui-même ainsi que sa première épouse – l'infante d'Espagne Marie-Anne d'Autriche – et son frère, l'archiduc Léopold-Guillaume, évêque de Breslau et gouverneur des Pays-Bas espagnols. Ces camées s'accompagnent des symboles suivants : l'aigle à deux têtes, la

85, 86 Deux vues d'une bague en or dont le camée en cornaline représente Charles Ier (1600–1649), roi de Grande-Bretagne et d'Irlande, vêtu d'une armure à l'antique et coiffé d'une couronne de laurier. Le portrait est flanqué de quatre diamants en rose, groupés par deux. Camée attribué à Thomas Rawlins (1620–1670), v. 1640 ; bague, 1660–1670. 15 x 13 mm.

87 *ci-contre* Dans ce portrait peint par John Michael Wright en 1658, Madame John Claypole (1629–1658) – fille préférée d'Oliver Cromwell – tient d'une main le portrait en camée de ce dernier, qu'elle porte suspendu à une chaîne.

88 Camée en sardonyx monté en pendentif, représentant Oliver Cromwell (1599–1658). Les diamants qui ornaient la monture ont été remplacés par des pierres en pâte de verre imitant le rubis, enchâssées dans des bates au bord lobé alternant avec des boucles qui donnent l'impression de former un ruban. Les armes et les titres de Cromwell sont inscrits au revers. Camée attribué à Thomas Simon (1618–1665), 1657. Camée : 13 x 10 mm.

balance de la justice, le glaive, le sceptre, la couronne impériale et le globe terrestre [89] [7]. Ils sont entourés de camées plus petits représentant d'une part les douze Habsbourg ayant précédé Ferdinand III sur le trône, d'autre part leurs devises et emblèmes ainsi que les armes de l'Autriche, de la Bohême et de la Hongrie. Ces petits camées et les pierres précieuses ou semi-précieuses qui les séparent les uns des autres se détachent sur un décor de feuilles et de fleurs émaillé de diverses couleurs et rehaussé de points blancs.

Dans le pendentif double face comprenant les portraits en camée de Ferdinand III et de Léopold-Guillaume s'est glissée, à côté de cette implacable démonstration de la légitimité et de l'origine divine du pouvoir exercé par Ferdinand III, une mise en garde se présentant sous la forme d'une image émaillée dissimulée à l'intérieur du médaillon. Il s'agit de celle d'un jeune enfant soufflant des bulles [90, 91]. Ce *memento mori* compare la vie humaine à une bulle : qu'elle soit grande ou petite, elle est vouée tôt ou tard à disparaître [8]. De même, dans une peinture d'Antonio de Pereda intitulée *Allégorie du passage du temps* [92], la présence d'éléments évoquant la mort – un sablier, plusieurs crânes et une bougie éteinte – contraste avec le camée montrant Charles Quint en empereur romain avec une armure, une couronne de laurier et l'insigne de l'ordre de la Toison d'or, qui constitue une évocation du pouvoir temporel. L'autorité qui émane de l'empereur se trouve ici encore renforcée par la monture en or du camée, en forme de cartouche : émaillée de croissants de lune, elle comporte, à la base, une gueule de lion et, au sommet, un aigle impérial qui tient dans ses serres le globe terrestre, un des insignes du pouvoir impérial.

Au cours de son long règne, Léopold Ier, un des fils cadets de Ferdinand, vit se renforcer – grâce aux succès de son armée, qui remporta plusieurs victoires sur celle de Louis XIV et parvint

89 *ci-contre* Pendentif dont le couvercle porte en son centre un camée coquille représentant l'empereur Ferdinand III (1608–1657) et, tout autour, des camées plus petits représentant les Habsbourg l'ayant précédé sur le trône. Sur le pourtour du médaillon, au décor émaillé ponctué de rubis, figurent les emblèmes et devises de la dynastie. Milieu du XVIIe siècle. 68 x 55 mm.

90, 91 *ci-contre et à droite* Deux éléments d'un médaillon double face. Au revers figure un camée coquille représentant en armure l'archiduc Léopold-Guillaume (1614–1662), mécène et gouverneur des Pays-Bas espagnols. Ce portrait, identifié par une inscription, se détache sur un fond bleu. Il est bordé d'une série de rubis alternant avec des feuilles noir et blanc. (À l'avers se trouve un camée coquille représentant Ferdinand III.) Un *memento mori* émaillé, composé d'un crâne, d'un sablier et d'un enfant soufflant des bulles, est dissimulé à l'intérieur du médaillon. Milieu du XVIIe siècle. 47 × 35 mm.

92 Dans l'*Allégorie du passage du temps* d'Antonio de Pereda (1654), la Renommée tient d'une main, au-dessus d'un globe terrestre, un portrait en camée de l'empereur Charles Quint (voir ill. 6), au milieu de divers symboles de réussite temporelle. Ceux-ci contrastent avec la présence, à gauche, de symboles de *memento mori* : un sablier, plusieurs crânes et une bougie éteinte.

à repousser l'invasion turque – non seulement son pouvoir politique mais aussi la conviction qu'il était véritablement un empereur de droit divin. Daniel Vogt a su rendre dans un portrait en émeraude cet air d'absolue autorité que l'empereur affichait de même que son attitude typiquement Habsbourg. La monture de ce portrait est constituée de rinceaux d'acanthe noir et blanc avec lesquels alternent des diamants en rose [93].

93 Pendentif en argent doré serti d'un camée en émeraude représentant en buste l'empereur Léopold Ier (1640–1705). Le camée est encadré de rinceaux d'acanthe noir et blanc alternant avec des diamants en rose. Camée signé Daniel Vogt († 1674), 1669/1670 ; monture de même époque. 56 x 45 mm.

Les médailles

En 1662, Colbert, ministre de Louis XIV, déclara que les médailles avaient été utilisées par les Grecs et les Romains pour immortaliser les actes héroïques de leurs princes, capitaines et empereurs et que, étant donné l'inaltérabilité des métaux qui les composent, il préconisait fortement de les utiliser pour immortaliser ceux du roi. Colbert n'était pas le seul à penser ainsi : les souverains du XVIIe siècle, soucieux d'asseoir leur autorité, commandèrent des portraits en si grand nombre que le rôle du médailleur devint plus important que jamais. C'est dans ces circonstances que quelques-uns des médailleurs les plus exceptionnels – G. Dupré, Jean Warin [94], François Chéron, Jean Mauger, Jérôme Roussel, Joseph Roettiers, A. Meysbusch – se firent un nom grâce au mécénat des monarques de France, d'Allemagne et d'Angleterre. Le peintre Pieter van Roestraeten, qui était sensible au prestige des médailles, en inclut une – qui lui appartenait peut-être –, suspendue à une chaîne, dans une vanité composée par ailleurs d'un crâne et de divers objets de luxe [9]. Comme les médailles pouvaient être produites en plus grand nombre que les camées ou les miniatures, elles jouèrent un rôle essentiel comme distinctions honorifiques décernées pour services de guerre mais aussi comme cadeaux diplomatiques lors de la signature d'un traité de paix, la conclusion d'un accord commercial ou l'arrangement d'un mariage royal par exemple. En Espagne, des médailles à l'effigie de Philippe IV et de son épouse, Marie-Anne d'Autriche – assorties chacune d'une chaîne en or –, furent ainsi remises à ceux ayant participé aux négociations de 1649 ; et en 1656, lorsque le représentant du cardinal Mazarin se rendit à Madrid pour arranger le mariage de Louis XIV avec l'infante Marie-Thérèse, son homologue espagnol, Don Luis de Haro, ministre de Philippe IV, portait sur son chapeau une médaille à l'effigie de cette dernière [10].

À partir de 1662, le registre des présents du roi renseigne sur l'identité des récipiendaires des médailles offertes par Louis XIV, avec ou sans chaîne [11]. Le roi, qui commanda de nombreuses médailles et fut pour cet art un grand mécène, en offrit notamment à des ambassadeurs – à l'ambassadeur de Venise Girolamo Venier par exemple –, à une députation de Tripoli, aux représentants des cantons catholiques venus à Versailles pour renouveler l'alliance entre la France et la Suisse, et à des représentants d'autres monarques venus présenter leurs condoléances à la mort de la reine, du Grand Dauphin et du duc de Bourgogne. Il en offrit d'autres à titre honorifique à des personnes de condition plus modeste, sur la conduite desquelles on avait attiré son attention. Il s'agissait le plus souvent de marins. Citons, par exemple : le matelot de Dunkerque dont « l'action d'éclat » avait été décisive dans la bataille menée par le grand capitaine de vaisseau Jean Bart contre la marine néerlandaise au large de l'île du Texel en 1694 ; le maître d'équipage qui avait capturé un bâtiment de guerre britannique en 1703 ; et le capitaine de vaisseau Augier de Marseille, qui avait vaillamment défendu son navire, chargé de marchandises de valeur, contre l'attaque de corsaires ennemis en 1712. Il devint de plus en plus courant de remettre non pas une médaille destinée à être portée, mais un ensemble de médailles qui, illustrant les victoires militaires, les actions diplomatiques et gouvernementales du roi, était présenté dans un médaillier [12]. Leur superbe qualité témoignait de la suprématie de la France dans le domaine artistique. Ces médailles servirent aussi les intérêts de la France dans le Nouveau Monde : en 1710, le marquis de Vaudreuil,

94 Portrait du jeune Louis XIV (1638–1715), roi de France, et du médailleur Jean Warin (1596–1672) par François Lemaire, v. 1650.

PORTRAITS
DE
LOUIS LE GRAND
SUIVANT
SES AGES
LUDOVICUS MAGNUS REX CHRISTIANISSIMUS
LUDOVICUS XIV REX CHRISTIANISSIMUS

95 *ci-contre* Collection de portraits représentant Louis XIV à différents âges, peints en forme de médailles en 1704 par Antoine Benoist (1632–1717). Ces médailles sont entourées de symboles de victoire, de guerre et de souveraineté.

gouverneur général du Canada, reçut quarante médailles d'argent qui représentaient la famille royale et qu'il était chargé de distribuer aux « sauvages », c'est-à-dire aux Iroquois.

Des médailles à l'effigie du héros de la cause protestante, le roi de Suède Gustave-Adolphe, se font l'écho des affrontements entre catholiques et protestants au cours de la désastreuse guerre de Trente Ans. Après le décès de Gustave-Adolphe – tombé à la bataille de Lützen, alors qu'il combattait l'armée de l'empereur autrichien –, un grand nombre de médailles, de pendentifs, de colliers et de coupes furent fabriqués pour commémorer ses victoires militaires mais aussi rendre hommage à ses capacités intellectuelles et ses qualités d'homme d'État. Certaines de ces médailles sont émaillées et le représentent sous la forme d'un profil découpé. L'officier du Yorkshire Daniel Goodricke, qui faisait partie des volontaires anglais ayant rejoint l'armée du roi de Suède, en porte une, suspendue à une écharpe noire, dans un de ses portraits [81, 96]. Une autre, gravée par Sebastian Dadler – médailleur à Dresde, Nuremberg et Berlin –, a également pris la forme d'un profil découpé, mais inscrit cette fois-ci dans une couronne de laurier verte agrémentée de deux myosotis et d'une pendeloque de perle [97] – décor symbolique adopté par d'autres souverains.

Charles Ier, qui chargea Van Dyck de transformer son image officielle, commanda en outre à Nicholas Briot, puis à son successeur Thomas Rawlins, de beaux petits portraits en médaille destinés à être remis à titre honorifique à ceux qui lui apportaient leur soutien politique ou militaire [98]. Ce type de portrait pouvait se porter sur un chapeau ou en pendentif, suspendu à un ruban. (Comme ces médailles dénotaient l'adhésion à la cause des Stuart et servirent à garder vivant le souvenir du roi martyr jusqu'à la restauration de Charles II en 1660, il était impossible de les arborer sous le Commonwealth.) Ces portraits sont d'une grande qualité ; contrairement aux *Gnadenpfennige* allemands, ils n'ont cependant pas été

ÆTATIS SVÆ.37
SPERO

96 *ci-contre* Portrait de l'officier du Yorkshire Daniel Goodricke (1597–1657/1658). Celui-ci porte, suspendue à une écharpe, une médaille à l'effigie de Gustave-Adolphe de Suède similaire à celle représentée sur cette page. Daniel Goodricke combattit dans l'armée du roi de Suède pendant la guerre de Trente ans. École anglaise, 1634. (Pour une vue détaillée, voir ill. 81)

97 Médaille commémorative à l'effigie de Gustave-Adolphe de Suède (1594–1632), émaillée et entourée d'une couronne de laurier et de myosotis avec une pendeloque de perle. Médaille de Sebastian Dadler (1586–1657), après 1632 ; monture probablement allemande. H. 80 mm.

CAROLVS · D · G · MAG
HIB · REX · FI · D

98 *ci-contre* Médaille en argent représentant Charles Ier couronné et portant le collier de l'ordre de la Jarretière. Elle est entourée d'un décor de laurier. Médaille de Nicholas Briot (v. 1579–v. 1646). H. 57 mm.

enrichis de montures sophistiquées mais simplement bordés d'une couronne de laurier faisant partie intégrante de la médaille.

Des médailles similaires, à l'effigie de Cromwell, furent commandées à Thomas Simon, « graveur de monnaies et de pierres fines [13] », et distribuées par les parlementaires pendant la guerre civile et sous le protectorat de Cromwell. En tant que chef d'État, Cromwell fut contraint de poursuivre la pratique consistant à remettre des médailles pour services rendus mais aussi à les utiliser comme cadeaux diplomatiques. Sir Bulstrode Whitelocke, envoyé par Cromwell auprès de la reine Christine de Suède, fille de Gustave-Adolphe, décrivit précisément, dans le compte rendu qu'il fit à la fin de sa mission en mai 1654, la relation qui existait entre la valeur du cadeau et le statut du récipiendaire. Après lui avoir offert un portrait en miniature de la reine entouré de diamants, le maître de cérémonie de la cour s'approcha de ses deux fils

> et offrit à chacun d'eux, au nom de la Reine, une chaîne en or de cinq maillons avec, au bout, une médaille en or à l'effigie de la Reine [...]. Puis il offrit, au nom de la Reine, au colonel Potley, au docteur Whistler, au capitaine Beake et à M. Earle – à chacun d'eux – une chaîne en or de quatre maillons avec, au bout de chaque chaîne, une médaille en or à l'effigie de la Reine [...]. Puis il offrit, au nom de la Reine, à M. Stapleton, M. Ingelo et M. De la Marche – à chacun d'eux – une chaîne en or de trois maillons avec, au bout, une médaille en or à l'effigie de la Reine [...]. À M. Walker, il offrit une médaille en or et une chaîne en or de trois maillons [...], au capitaine Crispe et à M. Swift – à chacun d'eux –, une chaîne en or de deux maillons [...]. Walker, l'intendant, et Stapleton, l'écuyer de Whitelocke, furent mécontents car leurs chaînes ne comptaient pas quatre maillons, et s'offensèrent, de

99 Gravure de Joseph-Antoine Cognet d'après un autoportrait de David Beck (1621–1656), v. 1649. Celui-ci s'est représenté en train de peindre un portrait de la reine Christine, dont il arbore le portrait en médaille.

même que les autres, de ce que leurs chaînes aient été moins bien et de moindre valeur que celles offertes à Potley et à Beake.

Whitelocke tenta de les calmer en leur expliquant que les plus belles chaînes avaient été remises à Potley et à Beake parce que l'un était un vieux serviteur de la couronne suédoise et l'autre, commandant de la garde du Protecteur ; il fit aussi valoir que, comme la reine n'était pas du tout obligée de les honorer de cadeaux, ils auraient dû lui être reconnaissants pour ce qu'ils avaient reçu. Stapleton annonça malgré tout au maître de cérémonie son intention de rendre le cadeau ; celui-ci lui expliqua alors que ni lui ni la reine ne décidaient à qui devait revenir tel ou tel cadeau : c'étaient les officiers de la Chambre des Comptes qui choisissaient en fonction du rang occupé par les récipiendaires au sein de l'ambassade [14]. La reine Christine, que l'audacieuse ascension et la ferme autorité de Cromwell rendaient admirative, envoya à celui-ci une double chaîne en or à laquelle était suspendue une médaille à son effigie, agrémentée de pendeloques de perle [15].

Deux exemples de chaînes auxquelles on attachait les médailles au XVIIe siècle figurent dans un portrait d'Elias Ashmole par John Riley [101]. Le musée d'Oxford qui porte le nom du modèle, l'Ashmolean Museum, abrite aujourd'hui ces deux chaînes et leurs médailles. Selon Anthony Wood, Ashmole était « le plus grand connaisseur et curieux que l'Angleterre eût alors jamais connu ou découvert par ses lectures ». Son œuvre la plus célèbre est une histoire de l'ordre de la Jarretière intitulée *The Institution, Laws & Ceremonies of the most noble Order of the Garter* (1672). Les médailles lui avaient été offertes par deux princes étrangers devenus membres de cet ordre, Frédéric III de Danemark et l'électeur de Brandebourg. En remerciant le comte de Greiffenfeld du cadeau qu'il lui avait remis de la part

100 Médaille en or émaillé à l'effigie de la reine Christine de Suède (1626–1689). Médaille de Gottfried Tabbert, milieu du XVIIe siècle. 40 x 33 mm.

de Frédéric III, Ashmole promit de léguer la chaîne et la médaille en or à un « musée public » de manière à ce que la « postérité pût se rendre compte de [l]a générosité [du prince] envers un gentleman anglais [16] ».

Les montures des *Gnadenpfennige* s'adaptèrent à la mode de l'époque. Celui à l'effigie de Frédéric-Guillaume de Saxe-Altenburg (1632), entouré de trophées d'armes, conformément à la tradition consistant à souligner les mérites militaires de la personne représentée, est assez conventionnel [17]. Une médaille avec, d'un côté, le portrait du duc Ernest de Saxe-Weimar et, de l'autre, celui de son épouse, Élisabeth-Sophie, fille du duc Jean-Philippe de Saxe-Altenburg (1652) apporte une note nouvelle [102, 103] : leurs profils sont entourés d'une guirlande qui, composée de roses, de tulipes, d'iris, de fleurs à cinq pétales et de fruits, reflète l'intérêt naissant pour les jardins et les fleurs ; cette couronne est nouée en haut et en bas par deux rubans bleus élégamment entortillés. Le portrait du jeune Maximilien II Emmanuel de Bavière (v. 1680) [104] est sommé d'une tête de putto aux ailes déployées et flanqué de fruits et de fleurs, comme l'étaient déjà les portraits en médaille de l'archiduchesse Marie-Anne (1654) et de son époux Maximilien [18], mais le décor a été mis au goût du jour par l'ajout de feuilles d'acanthe.

101 *ci-contre* Portrait d'Elias Ashmole (1617–1692) peint par John Riley v. 1681–1682. Dans ce portrait, Elias Ashmole porte, suspendue à une chaîne, une médaille à l'effigie de l'électeur Frédéric-Guillaume de Brandebourg. Sont en outre représentées une médaille à l'effigie de Charles-Louis de Bavière et une chaîne et une médaille ayant été offertes à Elias Ashmole par le roi de Danemark, Frédéric III. (Entre les deux figure le saint Georges de l'ordre de la Jarretière qui avait appartenu à Thomas Howard, deuxième comte d'Arundel.) Le cadre richement ornementé du tableau, qui porte les armes et la devise d'Elias Ashmole, a été sculpté par Grinling Gibbons.

EX VNO OMNIA
PRÆMIA
HONORARIA.

104 *ci-contre* *Gnadenpfennig* à l'effigie de l'électeur Maximilien II Emmanuel de Bavière (1662–1726). Monture en or émaillé à décor de rinceaux d'acanthe, sommée d'une tête de putto. Médaille de Philippe Heinrich Müller (1654–1719), Augsbourg, v. 1680. 67 x 62 mm.

102, 103 Avers et revers d'un *Gnadenpfennig* à l'effigie du duc Ernest de Saxe-Weimar (1601–1675) et de son épouse, Élisabeth-Sophie (1619–1680). Il est entouré d'une guirlande ajourée en or émaillé, nouée par des rubans bleus, 1652. 128 x 48 mm.

MAX·EMA·D·G·V·B·A·P·S·D·C·P·R·S·R·I·ARCH·ET·EL·C·L·

Les miniatures

À l'instar des camées et des médailles, qui avaient généralement une fonction officielle, les portraits en miniature furent beaucoup utilisés à des fins diplomatiques, notamment en relation avec les mariages royaux. Ils jouaient cependant aussi un rôle dans la vie privée, leurs propriétaires les portant sur eux, enchâssés dans la plus belle boîte à portrait qu'ils pouvaient s'offrir. Les modèles de boîte à portrait publiés par François Lefebvre (1635, 1657, 1661) [160], Gilles Légaré (1663) [152] et Thomas Le Juge (1678) firent connaître à l'étranger les toutes dernières modes parisiennes, et celles-ci furent rapidement adoptées par des créateurs tels que Johann Paulus Haüer [105].

Bien que des miniatures aient été peintes au XVIIe siècle dans toute l'Europe, cet art semble avoir été plus encouragé en Angleterre que sur le continent. Les plus grands artistes – Peter Oliver [106], David Des Granges [124], John Hoskins, Samuel Cooper et son frère Alexander [129–134, 144] – ainsi que leurs disciples utilisaient la technique de l'aquarelle. Mais un peintre comme Jean I Petitot, par exemple, exécuta des portraits en émail pendant une brève période, très précisément de son arrivée à Londres en 1637 jusqu'au début de la guerre civile [107–109, 153–156, 159, 161].

Étant donné que les couleurs, amenées à leur point de fusion au cours de la cuisson, demeuraient brillantes et ne s'altéraient point, le portrait peint en émail n'avait besoin de rien d'autre que d'un couvercle en verre pour le protéger. Seuls le revers et les bords étaient donc embellis d'émaux et de gemmes. Le portrait en miniature de lady Venetia Digby, épouse de sir Kenelm Digby, qui a été peint en émail après sa mort, en 1637, par Henri Toutin [106], s'accompagne d'un décor inhabituel : sommé des armoiries de cette dame et d'une coquille, ce portrait est en effet flanqué de figures blanches qui tiennent chacune une guirlande colorée de fleurs et de fruits, et font ainsi écho à celles encadrant les fresques de la Renaissance au château de Fontainebleau. La traduction de l'inscription latine figurant au revers du portrait est la suivante : « Il essaie de retirer un fantôme du bûcher funéraire et, épuisant les talents des artistes, livre à la mort une grande bataille. Partout, il te cherche – Oh ! Quelle amertume ! – sur une pièce de métal. » Cette phrase fait référence au chagrin éprouvé par sir Kenelm après la mort de son épouse, une femme que lord Clarendon a décrite comme étant « d'une extraordinaire beauté et d'une renommée tout aussi extraordinaire ». Bien que quelques artistes anglais aient continué à utiliser la technique de Petitot après son départ pour la France, elle fut éclipsée par celle de l'aquarelle jusqu'à l'arrivée de Charles Boit en 1687.

Peu de portraits en miniature de Charles Ier, de son épouse et de leurs enfants ont conservé leur monture d'origine. Celles-ci ont peut-être été brisées en raison de la valeur des pierres qui les composaient. Un de ces portraits semble être répertorié dans le testament de 1655 de lady Jean Wemyss – « le portrait du roi ayant une monture ornée de 80

105 *ci-contre* Modèles de boîtes à portrait. Celle du milieu est en forme de tortue et ornée, au revers, d'un décor de fleurs. Gravure de Johann Paulus Haüer, 1650.

106 Portrait en miniature de lady Venetia Digby († 1633), doté d'une monture figurative émaillée. Miniature d'Henri Toutin (1614–1683) d'après Peter Oliver (1594–1648) ; monture de Gilles Légaré († 1663), 1637. 125 x 83 mm.

petits diamants » –, mais il est vrai qu'à cette date il pourrait s'agir d'un portrait de Charles II, encore en exil. Les trois portraits du roi, de la reine et du futur Charles II exécutés par Petitot d'après Van Dyck ont simplement une bordure émaillée du bleu de prédilection de cet artiste [107–109]. Un portrait en miniature ovale, dû à Henri Toutin et daté de 1636, a une monture à seize lobes, émaillés de fleurs qui font écho à celles brodées sur la veste du roi [110].

Un nombre plus important de portraits en miniature posthumes ou commémoratifs ont survécu. Le plus remarquable est un grand médaillon en or en forme de cœur qui, agrémenté de perles, renferme un portrait en miniature de Charles Ier placé entre une tête de mort et une couronne royale, ainsi qu'un morceau de lin taché de sang prélevé sur son corps après son exécution en 1649 [111]. Un autre pendentif se compose d'un portrait en miniature exécuté d'après sir Peter Lely et d'une monture en or filigrané [19]. Un fidèle partisan du roi inséra un portrait en miniature au cœur d'une des fleurs d'une tige émaillée [112], mais ce type de décor est exceptionnel. Le plus souvent, ces portraits en miniature exécutés en souvenir du roi étaient enchâssés dans une bague à chaton ovale ou cordé, protégés par un verre, et encadrés et sommés de diamants en rose. Leur revers, émaillé du chiffre du roi et de la date de son exécution, portait en outre une inscription en latin ou en anglais telle que PREPARED BEE TO FOLLOW ME (« Sois prêt à me suivre »). Sous le Commonwealth, les royalistes les plus prudents dissimulaient le portrait du roi à l'intérieur d'un chaton en forme de médaillon à charnière dont le couvercle était uni ou orné d'un symbole non politique [20].

Samuel Cooper réalisa de très beaux portraits en miniature d'Oliver Cromwell, destinés à des hommes d'affaires ou diplomates français et néerlandais. L'un d'eux fut envoyé à la reine Christine de Suède avec cette épigramme en latin de John Milton :

107–109 *ci-contre* Portraits en miniature de Charles Ier, de la reine Henriette-Marie (1609–1669) et de leur fils, le futur Charles II (1630–1685), entourés d'une bordure émaillée bleu clair. Miniatures de Jean I Petitot (1607–1691) d'après des portraits de Van Dyck, 1638–1639. 51 x 40 mm chacun.

110 Portrait en miniature de Charles Ier, d'après un portrait de Van Dyck, monté en pendentif. Monture composée de seize lobes émaillés de fleurs naturalistes. Miniature et monture d'Henri Toutin, qui ajouta les fleurs sur l'habit du roi, 1636. 65 x 55 mm.

111 *ci-contre* Pendentif commémoratif en forme de cœur en or et émail, rehaussé de perles. Il renferme un portrait en miniature de Charles Ier, le roi martyr, d'après Van Dyck, des cheveux et un morceau de lin taché de sang prélevé sur le corps du roi après son exécution en 1649. Cœur : 38 x 30 mm.

112 Branche de fleurs émaillée de diverses couleurs, avec un portrait en miniature de Charles Ier enchâssé au cœur d'une des fleurs, pour commémorer son éxécution, v. 1650. 45 x 70 mm.

Bellipotens Virgo, Septem regina trionum

Christina, Arctoi lucida stella poli !

(« Ô Reine vierge du Nord, experte en guerre / Christine, l'étoile d'or scintillante du ciel arctique ! »). La reine envoya en retour à Cromwell son portrait en médaille [21].

Les partisans des Stuart portaient, sous le Commonwealth, des portraits en médaille ou en miniature de Charles II enfant ou exilé. Un de ces portraits – un double portrait en miniature de lui-même et de son père, destiné à être porté sur un ruban passé autour du poignet ou du cou – est émaillé au revers d'un décor de fleurs [22]. D'autres, plus luxueux – finement émaillés, parfois agrémentés de couronnes de diamants ou entourés de turquoises et de pierres de couleur – furent commandés après la Restauration de 1660 [113, 114] et le mariage du roi avec Catherine de Bragance. Enfin, des portraits commémoratifs montés en bagues virent le jour après la mort du roi, survenue en 1685. Dans un portrait du premier duc de Saint-Albans, un des fils que Charles II eut avec Nell Gwynn, celui-ci porte une de ces bagues [23].

Un portrait en miniature d'Anne Hyde, la première épouse du futur Jacques II – duc d'York et frère du roi –, illustre un autre style de monture caractéristique de la Restauration : sa monture est en effet sommée d'une couronne et émaillée de façon à donner l'illusion d'être sertie de pierres ; au revers figure, entre deux palmettes, le chiffre couronné d'Anne Hyde. Après avoir été détrôné en 1688, Jacques II demeura de longues années en exil à Saint-Germain-en-Laye, en France, avec sa seconde épouse, Marie de Modène. Son portrait fut peint de nombreuses fois en miniature afin de répondre à la demande de ses partisans [117]. Dans l'inventaire posthume de la reine Marie sont répertoriés les bijoux qu'elle avait conservés, y compris « deux médaillons à porter au bras, l'un composé du portrait de feu le roi, l'autre d'un portrait de feue la princesse » – leur fille

113, 114 Avers et revers d'un médaillon en or renfermant un portrait en miniature du roi d'Angleterre, d'Écosse et d'Irlande Charles II (1630–1685), dont les prétentions s'étendent au royaume de France, comme l'indique l'inscription au revers, protégé par un octogone en cristal. Peut-être s'agit-il du médaillon offert par le roi au prince Christian, l'héritier de la couronne de Danemark. Le médaillon porte au revers une inscription en noir sur fond bleu ainsi que sa date d'exécution, 1660. Médaillon français (?). 32 x 22 mm.

117 *ci-contre* Pendentif en or comportant un portrait en miniature du roi de Grande-Bretagne et d'Irlande Jacques II (1635–1701), roi d'Écosse sous le nom de Jacques VII. Miniature et monture anglaises, v. 1685. 50 x 38 mm.

115, 116 *Ci-dessus et à droite* Avers et revers d'une table de bracelet ornée d'un portrait en miniature d'Anne Hyde (1637–1671), duchesse d'York, première épouse de Jacques II et mère des deux reines suivantes, Marie et Anne. Monture émaillée, sommée de la couronne d'Anne Hyde. Au revers figure son monogramme couronné. Miniature de Richard Gibson (1615 ?–1690), v. 1665 ; monture de même époque.

118, 119 *ci-contre* Avers et revers d'un pendentif en or bordé de 24 lobes, comportant un portrait en miniature de la seconde épouse de Jacques II, Marie de Modène (1658–1718). Le portrait est sommé de trois diamants en rose. Le revers du pendentif est émaillé du chiffre couronné de Marie de Modène. Miniature, v. 1673 ; monture, v. 1685–1688.

Louise-Marie [24]. La reine avait offert au premier duc de Perth, son dévoué serviteur à Saint-Germain-en-Laye, son propre portrait en miniature, agrémenté de trois diamants en rose sertis en argent et émaillé au revers de son chiffre [118–119].

En Angleterre, le portrait en miniature était devenu un cadeau diplomatique tellement courant que, lorsque Guillaume III devint roi en 1688, après le départ de Jacques II, il se mit à offrir, comme tous les monarques d'Europe, son portrait et celui de son épouse, Marie II, pour bons et loyaux services. La pièce la plus importante qui nous soit parvenue de leur règne est peut-être le grand pendentif couronné qui, entièrement couvert de cristaux de roche taillés en rose sur l'avers, porte au revers, au milieu d'un décor émaillé de rinceaux, un portrait en miniature du roi Guillaume III peint en émail [120, 121].

Étant donné que les commanditaires veillaient à livrer dans leurs portraits la meilleure image d'eux-mêmes [25], ils devaient aussi certainement s'assurer de la beauté des boîtes dans lesquelles ils étaient enchâssés. Il ne dut guère y en avoir de meilleure qualité que le médaillon Grenville [122–124], renfermant le portrait en miniature peint par David Des Granges de sir Bevil Grenville, tué à la bataille de Lansdown, près de Bath, au service de Charles Ier. Bien que l'avers du médaillon ovale soit orné d'un grand saphir, d'opales, d'émeraudes, de diamants et de rubis en table, ces pierres ne dominent pas la composition mais se fondent dans les couleurs vives du décor floral qui, composé de roses et de marguerites, se détache sur un fond noir. Le revers est émaillé d'un décor symétrique et complexe à base de losanges, de quadrilobes et d'octolobes verts, rouges, jaunes et bleu foncé, soulignés de blanc dans un cartouche noir sur fond rouge. Ce décor témoigne des sommets atteints par les orfèvres-joailliers londoniens sous le règne de Charles Ier.

Étant donné que les portraits en miniature, tant ceux des vivants que ceux des défunts, étaient destinés à être portés en bijoux, les montures étaient émaillées d'inscriptions et de symboles commé-

120, 121 Avers et revers d'un pendentif sommé de la couronne royale. L'avers est entièrement couvert de cristaux de roche taillés en rose tandis que figure au revers, au milieu d'un décor émaillé de rinceaux, un portrait en miniature du roi d'Angleterre, d'Écosse et d'Irlande Guillaume III (1650–1702) en armure, d'après Godfrey Kneller, v. 1690. 104 x 69 mm.

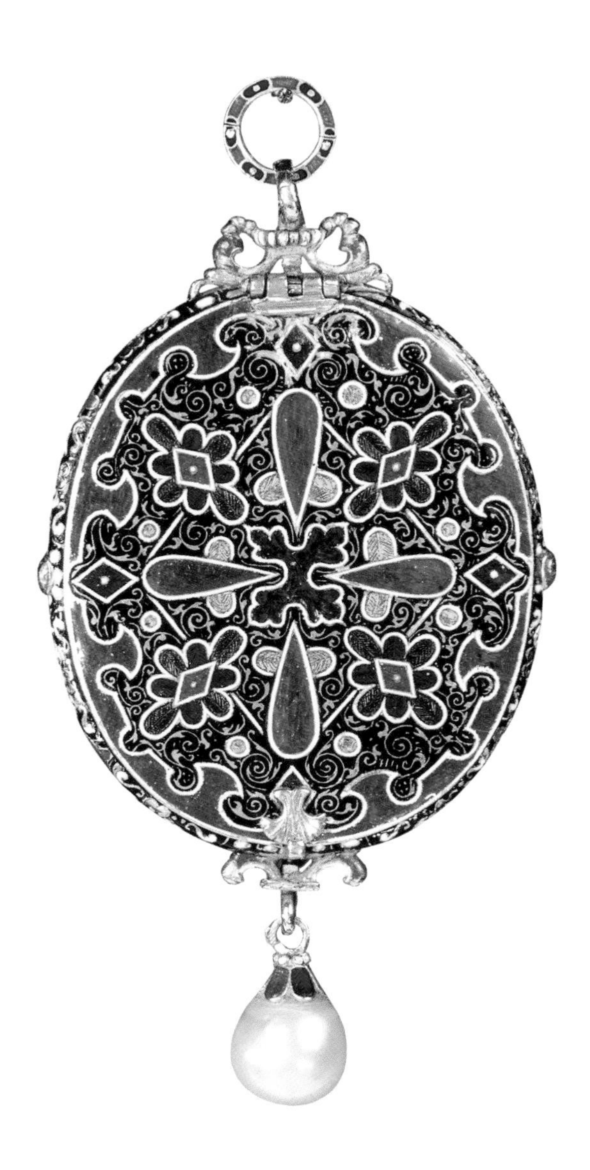

122–124 Trois vues du médaillon Grenville, renfermant un portrait en miniature de sir Bevil Grenville (1596–1643). L'avers (ci-dessous), émaillé de fleurs et serti d'un grand saphir, de rubis, d'opales, d'émeraudes et de diamants, retient une pendeloque de perle. Le revers est émaillé de motifs abstraits. Miniature et monture de David Des Granges (1611/1613 –1675 ?), v. 1635–1640. 35 x 42 mm.

125, 126 Deux vues d'une table de bracelet composée d'un portrait en miniature présumé de lady Brillana Harley (1600–1643). Le revers présente un décor émaillé, composé de motifs de *memento mori* – une tête de mort et des tibias croisés, associés à des pensées –, reliés par des lacs d'amour à la lettre grecque *phi* (pour fidélité), répétée plusieurs fois. Miniature et monture anglaises, milieu du XVIIe siècle. 27 x 22 mm.

moratifs. John Hervey, premier comte de Bristol, voulut faire figurer au revers du portrait de son épouse décédée en 1692 des vers rappelant « les diverses grâces dont Dieu et la nature l'avaient dotée, afin qu'elle demeurât un exemple à suivre pour les futures filles de la famille [26] ». Un portrait souvenir de ce type, qu'on pense être celui de lady Brillana Harley et qui était destiné à être porté en table de bracelet sur un ruban passé autour du poignet, est émaillé au revers de symboles de *memento mori* – des pensées, une tête de mort et des tibias croisés –, mais aussi de plusieurs *phi*, censés évoquer, par un jeu de mots, la fidélité. Les différents éléments sont reliés par des lacs d'amour [125, 126]. Dans le portrait peint par Cornelius Johnson, Sarah Harington, qui eut de nombreux époux, porte un médaillon dont le couvercle, orné de deux *phi*, témoigne de la dimension sentimentale de cette lettre grecque [128].

Un cadeau officiel pouvait avoir une monture sertie de diamants et sommée d'une couronne, comme en témoigne un dessin de Hans Hollaender datant de 1635 [127], annoté par Christian IV de Danemark qui demandait à ce que soit ajouté un couvercle ajouré portant des diamants formant son chiffre. Ce type de monture, d'une grande richesse, ne fut apparemment pas envisagé pour les portraits en miniature de Frédéric III – qui succéda à Christian IV –, de son épouse Sophie-Amélie et de leurs quatre enfants [129–140]. Ces portraits, dus à Alexander Cooper, sont en effet enchâssés dans d'élégantes boîtes à portrait ovales qui, fabriquées par l'orfèvre de la cour Paul Kurtz, sont simplement émaillées au revers ; les chiffres en or couronnés et la date d'exécution (1656) en constituent le seul ornement.

Plus au Nord, la Suède avait aussi adopté la coutume d'offrir des portraits royaux en miniature : certains, entourés de diamants, étaient montés en tables de bracelet [141] ou en bagues [142]. La reine Christine fit entourer le sien d'une guirlande de marguerites émaillée, rehaussée de diamants [143]. Alexander Cooper peignit deux beaux portraits en miniature entourés de rubis de Charles X Gustave [144] – qui succéda à Christine de Suède – et de son épouse, la reine Edwige-Éléonore. Un portrait en miniature dû à Pierre Signac [145] [27] la montre arborant sur sa poitrine le portrait en miniature de son époux. Probablement dû à Signac également, un portrait en miniature de Charles XI – qui succéda à son père Charles X Gustave – est entouré de 50 émeraudes en table, bordées de rinceaux émaillés noir et blanc, et sommé de la couronne royale [146].

Dans *La Vie est un songe* (publié avant 1636), le dramaturge Pedro Calderón de la Barca fait porter au duc Astolphe un médaillon renfermant le portrait en miniature de Rosaure, qui n'est pas celle qu'il doit épouser. Ce fait, dont la gravité ne pouvait échapper aux spectateurs espagnols de l'époque, fournit à la princesse Étoile un prétexte pour ne pas épouser le duc, et amène ainsi celui-ci à honorer la promesse de mariage qu'il a faite à Rosaure. En Espagne comme ailleurs, les portraits en miniature du monarque étaient remis pour bons et loyaux services ou offerts pour renforcer les liens diplomatiques. Les montures variaient : un portrait de Philippe IV d'après Vélasquez, peint en émail sur un boîtier de montre, est par exemple entouré d'une guirlande de fleurs en relief [147] tandis que, comme en atteste un dessin, des diamants encadraient celui de Charles II enfant que sa mère, la régente, offrit au secrétaire du comte de Sandwich, William Godolphin, à l'occasion de la ratification du traité anglo-espagnol de 1667 [148].

En France, les boîtes à portrait jouaient un rôle important tant dans la sphère publique que dans la sphère privée [28]. Dans *La Vraie Histoire comique de Francion* de Charles Sorel (1633), le héros éponyme tombe amoureux du portrait en miniature d'une beauté

127 Dessin par Hans Hollaender (actif 1628–1645) d'une monture en diamants sommée d'une couronne, destinée à encadrer un portrait en miniature et annotée par Christian IV de Danemark : « À l'intérieur, le portrait de Sa Majesté le Roi avec un cristal de roche [...] si ce dessin a la grâce de plaire à Sa Majesté le Roi. » Ce dessin accompagnait une lettre de Christian IV précisant qu'il souhaitait qu'on ajoute un couvercle ajouré portant de grands diamants formant son chiffre (voir ill. 70, 72).

128 *ci-contre* Portrait de Sarah Harington (1565–1629) par Cornelius Johnson, 1628. Celle-ci porte un médaillon orné de deux *phi* symbolisant la fidélité.

129–140 Avers et revers de boîtes à portrait renfermant des portraits en miniature de Frédéric III de Danemark (1609–1670), de la reine Sophie-Amélie (1628–1685) et de leurs quatre enfants. Au revers des boîtes figure un chiffre couronné. Miniatures d'Alexander Cooper (1609–1660) ; montures de Paul Kurtz (actif à Copenhague 1655–1676), 1656. 65 x 45 mm chacune.

141 *à gauche* Tables de bracelet en argent doré. L'une comprend un portrait en miniature de la reine Ulrique-Éléonore (1656–1695), épouse de Charles XI de Suède ; l'autre, un portrait de sa mère, la reine douairière de Danemark Sophie-Amélie (cf. ill. 130). Les deux portraits sont entourés de diamants en table. Miniatures attribuées à Louis Gouillon (actif 1672–1680), 1680 ; monture de même époque. 22 x 20 et 20 x 19 mm.

142 *ci-dessus* Bague en or comportant, sous un couvercle de cristal entouré de diamants en table, un portrait en miniature de Gustave-Adolphe de Suède. Les épaules de la bague sont aussi serties de diamants. Miniature et monture probablement suédoises, milieu du XVIIe siècle. 16 x 13 mm.

143 Portrait en miniature de la reine Christine de Suède monté en pendentif. Monture ornée de marguerites émaillées noir et blanc, auxquelles s'entremêlent des rubans de diamants. Au cœur de chaque marguerite figure aussi un diamant. Miniature de Pierre Signac (1623–1684) d'après Sébastien Bourdon, après 1653 ; monture dans le style de Gilles Légaré. 57 x 45 mm.

144 Portrait en miniature du roi de Suède Charles X Gustave (1622–1660) avec une monture sertie de rubis. Miniature d'Alexander Cooper, v. 1654 ; monture de même époque.

italienne dont le prénom, Naïs, est inscrit sur le couvercle du médaillon, « fait en ovale et pas plus grand qu'un cadran au soleil à porter en la poche [29] ». Dans *La Princesse de Clèves* (1678), charmant récit dans lequel Madame de Lafayette rend compte de la magnificence et de la galanterie à la cour de France, le duc de Nemours révèle ses sentiments pour la vertueuse princesse en volant son portrait mais non la boîte l'accompagnant, et il est submergé par le bonheur de posséder ce portrait ; l'époux de la princesse accuse alors celle-ci d'avoir délibérément donné à son soupirant le portrait « qui [lui] étoit si cher et qui [lui] appartenoit si légitimement [30] ». La valeur d'un portrait en miniature, qu'elle ait été sentimentale ou induite par le statut qu'il conférait, se trouvait augmentée par l'ajout d'une monture sertie de pierres. Citons, par exemple, la « boîte de portrait d'or garneye de 3 gros diamants et 3 moyens, 12 autres moindres et 3 petits sur bellieres » mentionnée dans le contrat de mariage de 1639 d'Henri de Lorraine, comte d'Harcourt, et de Marguerite du Cambout, duchesse de Puylaurens et parente du cardinal de Richelieu [31]. Dans l'inventaire après décès des bijoux de la belle et célèbre duchesse de Lorraine Béatrix de Cusance – établi en 1663 –, sont répertoriés deux portraits en miniature enchâssés dans des boîtes émaillées : un de la reine de Suède et « une table de brasselet esmaillée de bleu, dans laquelle il y a un portrait d'une demoiselle [32] ».

À cette date, il n'était pas rare de monter en milieu de bracelet un portrait en miniature. Dans l'inventaire posthume de Marie-Anne de Foix de Candelle, établi en 1667, figurent « une boette de portrait composée de 63 diamans dont celui du milieu est une grande pierre, les autres tant en table qu'en facettes », mais aussi « deux tables de bracelet à portrait garnies de petits diamants [33] ». Marie Charron, la riche veuve du grand homme d'État Jean-Baptiste Colbert, possédait aussi des bracelets agrémentés de portraits en miniature. En 1687 furent en effet vendus

145 Portrait en miniature de la reine douairière de Suède Edwige-Éléonore (1636–1715), qui arbore un portrait en miniature de feu son époux, Charles X Gustave, agrémenté d'une monture sertie de diamants. Miniature de Pierre Signac, 1664.

146 *ci-contre* Portrait en miniature du roi de Suède Charles XI (1655–1697), monté en pendentif. Monture sertie d'émeraudes, bordée de rinceaux émaillés noir et blanc, et sommée de la couronne royale. Miniature de Pierre Signac (?), v. 1672–1675 ; monture suédoise de même époque. 89 x 48 mm.

147 Boîtier de montre comportant un portrait en miniature du roi d'Espagne Philippe IV (1605–1665), d'après Vélasquez, entouré d'une guirlande de fleurs et de rubans. Au revers a été peint en émail un portrait en miniature de son épouse, la reine Marie-Louise d'Autriche. Montre d'Edmé Burnet, Bruxelles, 1660 ; monture de même époque, dans le style de Gilles Légaré. DIAM. 60 mm.

« un brasselet ou é[tait] le portrait de feu Mgr. Colbert, enrichi de 4 diamans ; et un autre, d'un petit portrait de la reine garni de 4 diamans [34] ». Son fils, le marquis de Seignelay, possédait un portrait en miniature qui, peint en émail par Petitot, avait été inséré dans un bracelet de diamants.

Anne d'Autriche, mère de Louis XIV et du duc d'Orléans, conservait un portrait en miniature de chacun de ses deux fils dans un petit livre d'or. Elle en possédait deux autres entourés de petits diamants [35]. Son propre portrait et celui du dauphin encore enfant, dus à Henri Toutin, ont été enchâssés dans un médaillon ovale émaillé tant sur l'avers qu'au revers d'un décor qui, s'inspirant d'un dessin de François Lefebvre, est constitué d'une superbe collection de fleurs de jardin ponctuées de noir et se détachant sur un fond blanc [149–151]. Au moins quatre portraits en miniature dotés d'une monture à décor floral correspondant au style de Gédéon Légaré et de Gilles Légaré [152] sont parvenus jusqu'à nous. Trois ont une monture émaillée uniquement de noir et de blanc. Le plus ancien de ces portraits est celui du cardinal Mazarin [153], entouré d'un décor de fleurs et de feuilles rehaussé de petits diamants. Sur le deuxième, un décor composé de marguerites et de feuilles noir et blanc entoure le portrait de la duchesse de Longueville [155]. La monture du troisième – le portrait de Philippe d'Orléans, le jeune frère de Louis XIV, par Jean I Petitot [154] – présente entre les fleurs émaillées noir et blanc des rubans de diamants. Pour le portrait en miniature d'une belle comtesse à la réputation sulfureuse, la comtesse d'Olonne, représentée en Diane [156] par Petitot, Légaré a exécuté une guirlande de fleurs multicolore avec un savoir-faire qui lui valut l'admiration de Lempereur, un célèbre orfèvre du XVIIIe siècle (« par l'épaisseur ménagée à propos de l'émail qui les couvrait et les colorait, il avait su exprimer la légèreté et le relief du naturel ») et de P.-J. Mariette, grand collectionneur du XVIIIe siècle qui déclara préférer aux diamants les décors de fleurs réalisés par « des doigts de fée » [36].

148 *ci-contre* Dessin et estimation d'un bijou comportant le portrait du roi d'Espagne Charles II (1661–1700). Ce bijou fut offert en 1667 par la régente Marie-Louise (Marie-Louise d'Orléans) au diplomate anglais William Godolphin à l'occasion de la ratification du traité anglo-espagnol. Sa valeur fut estimée à 405 £.

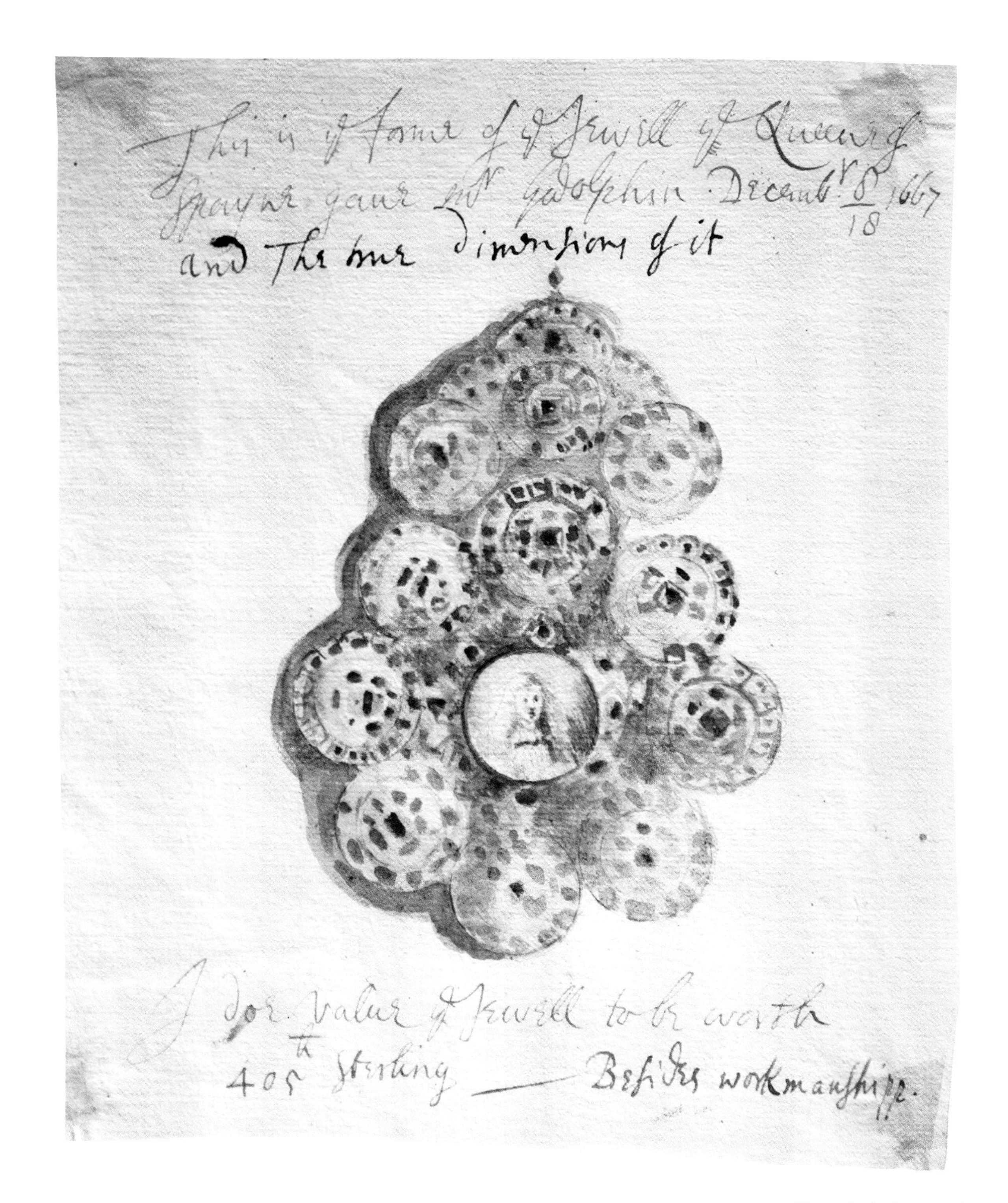
This is ye forme of ye Jewell ye Queene of
Spayne gave Mr Godolphin Decembr 8/18 1667
and The true dimensions of it
I doe value ye Jewell to be worth
Sterling
Besides workmanshipp.

149–151 *ci-contre et ci-dessus*
Trois vues d'un médaillon contenant un portrait en miniature de la reine de France Anne d'Autriche (1601–1666) et un autre de son fils, le futur Louis XIV, à l'âge de cinq ans. Avers et revers émaillés de motifs floraux exécutés d'après un dessin de François Lefebvre (actif 1631– v. 1676). Miniature et monture d'Henri Toutin, v. 1640–1642. 78 x 63 mm.

152 Page de titre du *Livre des ouvrages d'orfèvrerie* de Gilles Légaré, 1663. Détail montrant une guirlande de fleurs caractéristique de son style.

153 *ci-contre* Pendentif composé d'un portrait en miniature du cardinal Mazarin (1602–1661), exécuté d'après Pierre Mignard. Monture à décor de marguerites et de feuilles rehaussé de diamants. Miniature attribuée à Jean I Petitot ; monture dans le style de Gilles Légaré, v. 1660. 35 x 30 mm.

La princesse Stuart Henriette d'Angleterre, épouse du duc d'Orléans, possédait à sa mort, en 1671, au moins cinq boîtes à portrait, dont une ornée de diamants, de rubis, d'émeraudes et de topazes, qui renfermait le portrait du roi [37]. De son vivant, elle avait offert un portrait d'elle-même à son admirateur Armand de Gramont, comte de Guiche. Madame de Lafayette précise, dans son *Histoire de Madame Henriette d'Angleterre*, que ce portrait, abrité dans un médaillon en or, sauva la vie du comte au cours d'une bataille car il arrêta une balle qui aurait dû l'atteindre à l'abdomen. En 1689, à la mort de Marie-Louise d'Orléans, reine d'Espagne et fille d'Henriette d'Angleterre, furent répertoriés, dans l'inventaire de sa superbe collection de bijoux, plusieurs portraits en miniature aux montures ornées de pierres, dont celui de son époux, Charles II. Celui-ci était entouré de 36 diamants en rose et sommé d'une couronne impériale, elle-même sertie de 35 diamants [38]. On attachait une grande importance à la forme que revêtaient ces couronnes. En 1698, lorsque la belle-sœur de la reine Marie-Louise, Élisabeth-Charlotte d'Orléans, épousa le duc de Lorraine, Léopold-Joseph, le cadeau de ce dernier fut critiqué car la couronne ducale surmontant son portrait en miniature ressemblait plus, pensait-on, à celle du dauphin qu'à celle habituellement associée à la maison de Lorraine et de Bar [39]. La marquise d'Armentières légua en 1712 « un portrait du Roy en mignature enchassé en or ». Il est donc significatif que, dans une gravure de l'époque, le personnage féminin qui symbolise la profession de joaillier tienne ostensiblement dans une main un portrait en miniature du roi, suspendu en l'occurrence à un nœud à deux boucles [158].

Au cours de son long règne, qui s'étendit de 1661 à 1715, Louis XIV se montra déterminé à faire de la cour de France une cour somptueuse, car il était convaincu que plus il aurait de prestige plus il pourrait compter sur l'obéissance de ses sujets. Ce goût du faste se traduisit par l'édification de magnifiques palais

154 *ci-contre* Pendentif composé d'un portrait en miniature de Philippe d'Orléans (1640–1701) enfant, d'après un portrait de Jean Nocret. Le portrait est bordé d'un cordon torsadé auxquels font pendant, sur la monture, les petits cordons torsadés subdivisant le décor de fleurs émaillé noir et blanc. Miniature de Jean I Petitot ; monture dans le style de Gilles Légaré, v. 1665. Miniature : 40 x 32 mm.

155 Pendentif composé d'un portrait en miniature d'Anne-Geneviève de Bourbon-Condé, duchesse de Longueville (1619–1679). Monture à décor de marguerites émaillé noir et blanc, sommée d'un ruban. Miniature de Jean I Petitot ; monture dans le style de Gilles Légaré, v. 1663. Miniature 31 x 27 mm. Célèbre pour ses nombreuses liaisons et son implication dans diverses intrigues politiques, la duchesse a été décrite par Madame de Maintenon comme « belle comme un ange et la plus spirituelle de son temps ». Elle se retira du monde à la mort de son mari en 1663.

156, 157 Avers et revers d'un pendentif composé d'un portrait en miniature de la comtesse d'Olonne (1634–1714) représentée en Diane. Le portrait est entouré d'un décor de fleurs naturaliste exécuté en haut-relief et émaillé. Miniature de Jean I Petitot ; monture de Gilles Légaré, v. 1660. 63 x 48 mm.

mais eut aussi un impact sur la peinture, la sculpture, l'ébénisterie et tous les arts décoratifs. Tout événement – l'anniversaire, le mariage, la naissance, le baptême ou l'inhumation d'un membre de la famille royale ou d'un noble, une mission diplomatique, la signature d'un traité de paix, l'arrivée de nouvelles importantes, la présentation de condoléances ou encore une création musicale, littéraire ou artistique – était l'occasion d'un grand déploiement d'apparat qu'aucune autre cour ne pouvait égaler. Les boîtes à portrait se prêtaient idéalement à la glorification du roi, car elles portaient son chiffre et sa majestueuse image, peinte en émail par les meilleurs artistes de l'époque – Jean I Petitot [159], Louis de Châtillon et Jacques-Philippe Ferraud. On peut également mentionner l'artiste suédois Jean-Frédéric Bruckmann, qui avait pour spécialité les portraits « d'émail en relief » [40]. Lorsque le « Soleil » brillait au milieu de pierres précieuses, notamment lorsqu'il était entouré de la plus précieuse de toutes, le diamant, mis en valeur par les joailliers de la cour – Jean Pittan, Laurent Le Tessier de Montarsy ou son fils Pierre [161, 162] –, le portrait en miniature, porté sur soi et offert ostensiblement aux regards, était du plus bel effet. Il avait en outre plus de valeur que les portraits d'État aux cadres dorés tapissant les murs des palais baroques, dont il constituait une variante.

Le registre des présents de Louis XIV donne une idée de la façon dont ces miniatures étaient distribuées : toutes ne s'accompagnaient pas de diamants, et la valeur, très variable, de celles qui en étaient agrémentées était fonction de la quantité, de la dimension et de la qualité de ceux-ci. Le décor était généralement constitué d'un rang de gros diamants que doublait un rang de diamants en rose, plus petits. Une étude de ces somptueux présents permet de dégager les grandes orientations de la politique étrangère de la France. En 1669, la reine envoya à sa sœur Marguerite, l'épouse de l'empereur du Saint-Empire romain germanique Léopold Ier, un milieu de bracelet comportant son portrait et 8 diamants (coût : 7 332 livres) ; d'autres furent

158 *La Joüaillier*, gravure de Nicolas de L'Armessin, 1695. La femme qui représente ici la profession de joaillier tient et porte, fixés à sa jupe, des portraits en miniature montés en pendentifs. La grande miniature qu'elle tient de la main gauche représente Louis XIV.

Lustres
Evantails, en mignature et aut
Canes garnie d'Or et d'Argent
Pagottes de la Chines et autres
Monstres d'Or et d'Argent
et plusieurs Bijoux a la mode

offerts en 1676 à la jeune sœur du roi de Pologne (9 668 livres) et en 1677 à l'archevêque d'Embrun. Au nombre des cadeaux faits par le roi lui-même à des fins diplomatiques figurent des boîtes à portrait remises aux ambassadeurs de toutes les cours d'Europe. En 1680 à Munich, au mariage du Grand Dauphin avec la princesse Marie-Anne-Christine de Bavière, des boîtes enrichies de diamants furent offertes aux trois témoins français (coût total : 16 101 livres), d'autres au grand chambellan, le baron de Rechburg (6 000 livres), et à une dame d'honneur, la comtesse Porcia (6 120 livres). De même, à l'occasion du mariage du duc de Bourgogne avec Marie-Adélaïde de Savoie en 1696, le marquis de Dronero reçut un cadeau (14 620 livres) pour avoir escorté cette dernière jusqu'en France. Suite à la signature du traité de Ryswick entre l'Espagne, l'Angleterre, la Hollande et la France en 1697, Madame Lillerot, l'épouse du médiateur suédois qui avait contribué au rapprochement des différentes nations, et le comte de Cely, qui avait annoncé l'heureux aboutissement des négociations, eurent chacun droit à une boîte à portrait ornée de diamants.

À partir de la restauration de Charles II, la France témoigna de son soutien aux Stuart en offrant des cadeaux onéreux, généralement des boîtes comportant le portrait de Louis XIV en miniature, à une série d'Anglais influents, notamment au duc de Buckingham en 1672 (28 000 livres), au duc de Monmouth, fils naturel de Charles II, qui en reçut deux (15 392 et 28 000 livres), et aux comtes de Sunderland et de Peterborough. Après l'arrivée sur le trône d'Angleterre, suite à la révolution de 1688, de Guillaume III, stathouder de Hollande, Jacques II – écarté du trône – et sa cour bénéficièrent en France de la protection de Louis XIV. Celui-ci offrit en outre en 1690 son propre portrait en miniature, entouré de 48 diamants (21 218 livres), au comte Tyrconnell qui, commandant de l'armée du roi Jacques II en Irlande, était venu demander au roi des armes pour pouvoir continuer à combattre Guillaume III. Huit ans plus tard, la France avait changé de politique : la miniature la plus chère de toutes (40 510 livres) fut offerte au duc de Portland, ambassadeur de Guillaume III, avec lequel le traité de Ryswick avait obligé Louis XIV à faire la paix. Le duc eut beaucoup de succès à Versailles parce qu'il avait « un éclat personnel, une politesse, un air de monde et de cour, une galanterie et des grâces », pour reprendre les termes du duc de Saint-Simon. La valeur du cadeau indique clairement que Louis XIV désirait se concilier celui qui avait pris la place de Jacques II.

L'influence de la France en Espagne fut une des grandes préoccupations du règne de Louis XIV. Cette question conduisit à la guerre de Succession d'Espagne, qui ne prit fin qu'avec les traités d'Utrecht (1713) et de Rastadt (1714). Appréciant Marie-Louise de Savoie, l'épouse intelligente et aimée du peuple de son petit-fils, Philippe V d'Espagne, le roi lui envoya en 1704 un milieu de bracelet comprenant son portrait entouré de diamants (11 330 livres). Après la mort de celle-ci, survenue en 1714, Louis XIV, pour éviter un changement de politique, offrit en cadeau de mariage à la seconde épouse du roi d'Espagne, Élisabeth Farnèse, plusieurs bijoux, celui ayant le plus de valeur étant un portrait en miniature de lui-même. C'est le duc de Saint-Aignan qui le remit à Élisabeth Farnèse lors de son passage en France sur la route de Parme à Madrid. La valeur de ce bijou était si élevée en raison de la grosseur de ses diamants – « 4 gros brillants » – qu'elle montre à quel point Louis XIV tenait à s'assurer son soutien [41].

Louis XIV, né vers la fin de la guerre de Trente Ans, en 1643, s'engagea dans pas moins de sept guerres. Utiliser l'art de la guerre pour se couvrir de gloire était conforme à l'esprit de l'époque. Louis XIV endossa donc le rôle du roi-soldat, se battant vaillamment et planifiant les campagnes militaires pour servir les intérêts de la France. Ceux qui se distinguaient au combat ou les alliés qui rendaient de précieux services pouvaient s'attendre à avoir l'honneur de recevoir son portrait. En 1673, pendant la guerre de Hollande, le

159 Pendentif composé d'un portrait en miniature de Louis XIV vêtu d'une tunique et d'un manteau. Monture à décor de fleurs et de feuilles émaillé, formant une couronne liée par un nœud à deux boucles. Miniature de Jean I Petitot, v. 1670 ; monture de même époque. 28 x 25 mm.

roi offrit son portrait au prince de Montbéliard ; d'autres portraits de lui furent remis en 1678, pendant la campagne de Flandres, au comte d'Oxford, envoyé par Charles II, et au colonel Churchill, futur duc de Marlborough, qui représentait le duc d'York (6 900 livres).

Bien que de nombreux portraits en miniature de Louis XIV aient survécu, la plupart des montures ont été détériorées, les pierres retirées et parfois remplacées par des imitations en pâte de verre. Une récente acquisition du musée du Louvre [161, 162] – une boîte à portrait dont les pierres d'origine témoignent encore aujourd'hui de la générosité, du pouvoir et de la grandeur du monarque qu'elles entourent tel le soleil, son emblème – permet de comprendre l'importance politique d'un tel cadeau. Cependant, les miniatures concernées ont changé de mains si souvent que rares sont celles dont les circonstances du don royal sont attestées. Le portrait en miniature offert par Louis XIV en 1681 à l'érudit bolognais Carlo Cesare Malvasia a, lui aussi, conservé sa monture d'origine mais son histoire est en outre documentée, ce qui est exceptionnel. Ce portrait, dû à Jean I Petitot, a une monture en argent sertie de 68 diamants plus ou moins gros et taillés de différentes façons. Cette monture, sommée de la couronne fleurdelisée de la royauté française, porte, au revers, le chiffre royal qui, émaillé blanc, noir et cramoisi, se détache sur un fond à décor floral. Bien qu'elle ait été insérée dans une grande boîte ovale, bordée de laurier, et qu'une couronne de feuilles en argent massif entoure aujourd'hui les diamants, cette monture n'en illustre pas moins le travail de l'orfèvre de la cour Pierre Le Tessier de Montarsy, qui en demanda 4 439 livres. Le roi envoya ce cadeau avec une lettre de remerciements à Malvasia, qui lui avait dédicacé son livre, *Felsina Pittrice*. Le premier exemplaire de ce bijou ayant été cependant volé par des bandits entre Paris et Bologne, le roi ordonna de remplacer l'objet qu'il avait envoyé en témoignage de

160 Gravure de François Lefebvre d'après le dessin d'une monture à décor de fleurs de lis en diamants, destinée à un portrait en miniature de Louis XIV, 1661. En bas, vue de l'île de la Cité, à Paris.

161, 162 Boîte à portrait de Louis XIV. Le portrait, peint en émail, représente Louis XIV en habit de cour, et est entouré et sommé de deux rangs de diamants en rose. Sur le revers émaillé, le chiffre du roi est couronné. Miniature de Jean I Petitot (?), d'après un portrait de Pierre Mignard ; monture de Pierre Le Tessier de Montarsy (†1710) ou de son père, Laurent (†1684), v. 1680–1685. 72 x 46 mm.

sa considération [42]. L'estimant comme son bien le plus précieux, Malvasia le légua à l'archiconfrérie de Santa Maria della Vita à Bologne, où il subsiste aujourd'hui dans le musée attenant. Un autre portrait en miniature bien documenté est celui qui, également attribué à Jean I Petitot et Pierre Le Tessier de Montarsy (2 648 livres), fut offert au représentant des Pays-Bas Anthonie Heinsius, venu en France présenter ses condoléances en 1683 suite au décès de la reine Marie-Thérèse. Bien que les diamants aient depuis longtemps disparu, le paillon inséré en dessous pour renforcer leur éclat est resté dans certains chatons, et la boîte est celle d'origine [43].

Ce n'est qu'après s'être rendu dans les cours d'Europe en 1697–1698 que le tsar Pierre Ier, dit « Pierre le Grand », introduisit en Russie la coutume consistant à remettre le portrait du souverain à titre honorifique. Son ambassadeur à Vienne, Prokop Bogdanovich Voznitzyn, et le général écossais Richard Gordon furent les premiers à avoir droit à cet honneur. Vinrent ensuite des officiers ayant participé à la guerre contre la Suède. Un autre portrait, offert en 1713 à Arnould Dix, instructeur du tsar en construction navale, reflète le désir de ce dernier de créer une marine moderne [163, 164] [44].

163, 164 *ci-dessus et ci-contre* Avers et revers d'un insigne composé d'un portrait de Pierre le Grand (1672–1725), empereur de Russie. Le pendentif est sommé de la couronne de Russie. Sur le revers est gravé l'aigle à deux têtes tenant un sceptre et un globe terrestre, ainsi que saint Georges terrassant le dragon. Le même motif apparaît – cette fois-ci émaillé – sur l'écusson sur lequel le pendentif est suspendu. Cet insigne, datant de 1713, fut offert à Arnould Dix, instructeur en construction navale auprès de l'empereur.

3 *L'absolutisme, l'élégance et le sentimentalisme du XVIIIe siècle* 1715–1800

« Dans votre pays, Monsieur, on sera content de connaître le visage d'un des hommes actuellement les plus célèbres, du meilleur cavalier, du meilleur ministre ayant gouverné cette monarchie depuis cinquante ans, d'un homme qui sait tout, comprend tout [1]. » Cette phrase, prononcée par le prince de Kaunitz, chancelier de l'empire austro-hongrois, alors qu'il remettait son portrait à un visiteur russe, illustre parfaitement l'importance politique que revêtait, en ces temps d'absolutisme, la diffusion d'un portrait. Les portraits tant officiels que privés étaient désormais surtout peints en miniature. De l'esthétique rocaille au développement des courants néoclassiques des années 1770, les recueils de modèles publiés illustrent l'évolution stylistique du décor des montures.

165 *ci-contre* Portrait de la comtesse Alexandra Branicka, peint par Richard Brompton en 1781 (détail). La comtesse porte un insigne composé d'un portrait en miniature de Catherine II, l'impératrice de Russie. Ce portrait, monté en bijou, est sommé de la couronne impériale. (Pour une reproduction du portrait en entier, voir ill. 229.)

166, 167 Montures du milieu du XVIIIe siècle destinées à encadrer de petits portraits : l'une, italienne, est composée d'une étroite bordure à décor de volutes sertie de diamants en rose et de pierres de couleur ; l'autre, allemande et due à Christian Taute, présente un décor de feuilles asymétrique, rehaussé de rubis et de saphirs et surmonté d'un dais.

168–170 *Ci-dessus* Monture créée par le joaillier français Augustin Duflos (1700–1786) pour un portrait de la famille royale espagnole, composée d'un lion, d'un château et d'une couronne. *À droite* Deux montures italiennes, l'une à décor de feuilles asymétrique encadrant un double portrait, l'autre, à décor de feuilles et de baies, montée sur un bracelet de perles.

Les camées et les intailles

Seul un petit nombre de portraits en pierre dure de la première moitié du XVIIIe siècle a survécu, et le nombre de pièces auxquelles il est fait référence dans les testaments, les inventaires ou les registres des orfèvres-joailliers est également limité. Le milieu du siècle connut cependant un regain d'intérêt pour cette forme de portrait, et le berceau de la gravure sur gemmes, l'Italie, conserva sa suprématie en ce domaine. L'utilisation d'une pierre précieuse de couleur – émeraude, saphir ou rubis – indiquait que le modèle jouissait d'un certain prestige, celui-ci pouvant encore être souligné par un encadrement de diamants. Dans le testament de la dernière princesse de Médicis, l'électrice palatine Anne-Marie-Louise, se trouve mentionné « un bijou octogonal composé d'une intaille en saphir représentant en buste le grand-duc Jean-Gaston, de cinq gros diamants à facettes, sans monture apparente, et de quelques autres plus petits ». Figurent en outre dans ce testament deux intailles en cornaline : l'une représentant de nouveau le grand-duc Jean-Gaston, un des frères de la princesse, et s'accompagnant d'agates et de grenats ; l'autre, agrémentée d'agates et d'émeraudes, représentant l'époux de l'électrice, l'électeur palatin Jean-Guillaume [2].

En France, le graveur François-Julien Barrier se spécialisa dans le portrait. Voltaire envoya à une femme un portrait de lui gravé par ce dernier et monté en bague, auquel il joignit les vers suivants :

> Barrier grava ces traits destinés pour vos yeux
> Avec quelque plaisir daignez les reconnoître
> Les votres dans mon Cœur furent gravés bien mieux
> Mais ce fut par un plus grand maître.

Au milieu du XVIIIe siècle, Jacques Guay s'était hissé au rang de meilleur graveur de France. Il avait été aidé dans son ascension par l'arbitre du bon goût qu'était en France la favorite de Louis XV, la marquise de Pompadour. Dans l'inventaire de ses biens figure une importante collection de camées et d'intailles, magnifiquement gravés par Guay, puis montés en bagues ou en milieux de bracelet par son joaillier, Pierre-André Jacquemin. Femme de goût, la marquise fit entourer de pierres de couleur scintillantes ces minuscules œuvres d'art. Elle fit ainsi border de brillants et monter en bagues de tout petits portraits du roi. Un portrait plus grand de Louis XV et un autre d'Henri IV, le fondateur de la dynastie des Bourbon, furent montés en fermoirs de bracelet et encadrés d'une couronne de laurier en émeraude nouée par des rubans en diamant faisant écho à celle portée par les deux rois [171, 172]. Le prestige d'Henri IV, « si français de cœur et d'esprit », était tel, et il était tellement assimilé au « bonheur de la France », que Louis XV et Louis XVI, qui appartenaient comme lui à la lignée des Bourbon, se réclamèrent de lui. Les portraits enrichis de gemmes que la marquise possédait tant de son amant, le roi, que de l'ancêtre de ce dernier témoignent de son pouvoir. Il ne lui manquait que le titre de reine, et c'est ce message que cherche à délivrer le camée de Louis XV qu'elle porte ostensiblement au poignet dans le célèbre tableau de François Boucher intitulé *Madame de Pompadour à sa toilette* [173].

Ce fut vraisemblablement Guay qui exécuta le camée en sardonyx représentant le roi et monté en table de bracelet pour la baronne de Stahremberg, dame d'honneur en 1747 au mariage de Marie-Josèphe de Saxe et du dauphin, le fils aîné de Louis XV [3]. Cette dernière, princesse pourtant pleine de tact, ne

171, 172 Milieux de bracelet dont la monture, à décor de feuilles de laurier en émeraude liées par des rubans de diamants, entoure un camée en sardonyx représentant deux rois de France laurés : Louis XV (1710–1774) et Henri IV (1553–1610). Le portrait de Louis XV est dû à Jacques Guay (1715–1793) ; celui d'Henri IV est antérieur. Montures de Pierre-André Jacquemin († 1773), v. 1750. Ces bijoux furent fabriqués pour Madame de Pompadour qui porte, dans un portrait, celui figurant Louis XV (voir ill. 173).

173 *Madame de Pompadour à sa toilette*, par François Boucher, 1750. Madame de Pompadour (1728–1764) porte au poignet un camée représentant Louis XV (voir ill. 171).

put s'empêcher de montrer sa déception en constatant, à son arrivée en France, qu'aucun portrait de son beau-père ne figurait dans la collection de bijoux qui l'attendait. En 1758, elle et le dauphin furent représentés dans une belle sardonyx entourée d'une bordure moulurée en or, enrubannée et sommée d'un nœud à boucles [4]. Dans son inventaire posthume, établi en 1767, au moins deux bagues comportant des portraits gravés sur gemmes sont répertoriées : l'une avec un camée en onyx représentant son père, électeur de Saxe sous le nom de Frédéric-Auguste II et roi de Pologne sous celui d'Auguste III ; l'autre, une émeraude représentant Henri IV, entourée de diamants [5].

Il existe peu de portraits sur gemmes des petits-enfants de Louis XV – Louis XVI, qui lui succéda en 1774, et son frère Charles-Philippe, comte d'Artois – montés en bijoux ou sur le couvercle de tabatières [6]. Cependant, des double portraits de Louis XVI et de la reine Marie-Antoinette furent montés en bagues et sommés de la couronne royale [174], et un portrait du comte d'Artois destiné à son épouse fut monté en bague en 1776 par Ange-Joseph Aubert, joaillier de la couronne [7]. Un buste de Marie-Antoinette en sardonyx – un des chefs-d'œuvre de Jacques Guay – fut serti sur une jolie tabatière par A.-J.-M. Vachette, au milieu d'un décor ciselé composé d'une couronne de laurier mais aussi des fleurs de lis et de la couronne de France [175]. On recense également quelques autres portraits en pierre dure. Ainsi fut vendue en 1772 par le joaillier Jean Gaillard à la duchesse de Villeroy « une bague au portrait d'Henri IV sur cornaline entourée de brillans, montée à l'antique » ; Aubert vendit en 1769 à Monsieur de Pair « une bague d'un portrait du Roy et d'un d'Henri IV tournant ensemble dans un entourage de roses » et, au marquis de Vernouillet, une bague comportant de même les portraits des deux rois. En 1782, l'inventaire après décès du marquis de Monconseil répertoria « une bague repré-

174 Bague en or dont le camée en sardonyx, entouré de diamants et sommé d'une couronne, représente le roi de France Louis XVI (1754–1793) et la reine Marie-Antoinette (1755–1793), v. 1770. 13 x 11 mm.

sentant le Roy de Pologne entouré de petits brillans ainsi que la verge de la bague ». Jean-Henri Simon, entré au service du duc d'Orléans en 1775, était représentatif des graveurs de la nouvelle génération. Après 1789, ses portraits de Marat et de Le Peletier de Saint-Fargeau – deux grandes figures de la Révolution française – furent reproduits en verre, de même que ses intailles représentant la duchesse d'Orléans et les enfants nés de l'union de celle-ci avec le duc. Les reproductions en verre de ces dernières furent insérées dans une châtelaine en acier se terminant par un cachet sur lequel était inscrit le nom pris par le duc sous la Révolution, Philippe Égalité [8].

Comme alternatives aux camées, des portraits en relief de Louis XV et de Louis XVI furent exécutés en ivoire sur fond rouge ou encore en porcelaine, protégés par une lame de cristal et entourés de diamants en rose. Un autre type de pâte céramique, inventé en 1785 par Bartolomeu da Costa pour des portraits de la

175 Tabatière en or avec, sur le couvercle, un camée représentant la reine Marie-Antoinette. Ce camée est sommé d'une couronne et entouré de feuilles de laurier et de fleurs de lis. Camée de Jacques Guay ; boîte d'Adrien-Jean-Maximilien Vachette (1753–1839), v. 1780. 47 x 36 mm.

176 Broche en or dont le camée en biscuit de porcelaine représente en buste la reine du Portugal Marie Ire (1734–1816). Ce portrait lauré et sommé d'une couronne est entouré d'étoiles serties de diamants, qui se détachent sur un fond bleu roi. Travail portugais, v. 1785. H. 50 mm.

reine du Portugal Marie Ire, fut utilisé pour des portraits montés en pendentifs, en bracelets, en bagues ou en broches [176]. Les perles étaient également employées dans les portraits en relief. Inspirés par l'histoire de la papauté, des joailliers restés anonymes créèrent ainsi pas moins de 240 médaillons comportant chacun le portrait d'un pape, de saint Pierre à Clément XII [177] : le profil ainsi que la tiare et l'habit pontifical ont été exécutés avec des pierres de couleur et des perles d'eau douce de différentes grosseurs, qui ressortent sur un fond sombre. Ces portraits montés en bijoux, dont la réalisation tenait du tour de force, furent offerts à Louis XV, qui les donna au cabinet des Médailles. Les plus rares de ces portraits en relief étaient entièrement composés de petits diamants – un portrait de Louis XVI, notamment, se détachant sur un fond émaillé bleu [9]. La corporation des orfèvres de Paris en offrit un autre au roi de Danemark Christian VII lorsque celui-ci séjourna dans la ville en 1768 [178].

En Angleterre, Lorenz Natter, remarquable graveur sur gemmes de la première moitié du siècle, fit le portrait de diverses figures illustres, mais aucun ne semble avoir survécu sous forme de bijoux rehaussés de pierres précieuses. La pièce la plus importante ayant conservé sa monture d'origine est un buste en sardonyx dû à un graveur inconnu et censé représenter la princesse Anne, fille de George II et épouse depuis 1734 de Guillaume IV d'Orange-Nassau : ce portrait, monté en médaillon, est entouré d'une guirlande de fleurs en rubis et diamant liée par un nœud à deux boucles [179]. Les portraits en camée ou intaille destinés à servir de sceaux et à témoigner ainsi de la loyauté des récipiendaires envers la maison de Hanovre – c'est-à-dire envers les rois George I, II et III – recevaient généralement des décors fort simples inspirés de l'Antiquité romaine, conformément aux recommandations de l'érudit français P.-J. Mariette, selon lequel ils devaient être dépouillés de tout ornement et imiter les bagues antiques, d'une grande simplicité et presque toujours composées d'un seul matériau.

P·CLEMENT· XII·FLORENT·1730·

177 *ci-contre* Médaillon en or composé d'un portrait en buste, de profil, du pape Clément XII (1652–1740). Son visage et ses cheveux sont constitués de semences de perle ; la tiare et l'habit pontifical, de perles et de diverses gemmes. 1730–1740. DIAM. 40 mm. Ce portrait est le dernier d'une série de portraits de papes : chaque buste a été modelé en cire, puis couvert de minuscules semences de perles et d'autres gemmes avant d'être appliqué sur un fond de marbre ou d'ardoise noir. Au revers de chaque médaillon figure en lettres d'or une brève note biographique en latin.

178 Médaillon en or composé d'un portrait en diamant du roi de Danemark Christian VII (1749–1808) se détachant sur un fond bleu. Paris, 1768.

Le prince de Galles, futur George IV, acheta « deux portraits, l'un de feu le roi de Prusse et l'autre de son successeur, tous deux montés sur une très grosse bague tournante semblable aux bagues de l'Antiquité romaine », ce qui ne l'empêchait pas d'apprécier les montures plus luxueuses. Une bague qu'il acheta pour 105 £ à Benjamin Laver en 1785 témoigne de son extravagance ; il s'agissait d'« une curieuse bague en or, à nulle autre pareille, comportant un portrait en buste saisissant du très honorable Charles James Fox, gravé dans une sardonyx ayant conservé ses couleurs naturelles et entourée de beaux et gros brillants de toute première qualité ». L'acquisition de ce bijou, dénotant l'adhésion du prince à la cause du parti réformiste, fut suivie de celle d'autres portraits en pierre dure montés sur des bagues de prix. Le prince de Galles acheta notamment à Thomas Gray en 1786 « une bague sertie de brillants comportant le portrait du roi de Prusse » et, en 1787, une bague sertie de diamants sur laquelle son propre portrait avait été monté [10]. Toujours en avance sur la mode, il montra son goût pour le costume national écossais en commandant un camée le représentant coiffé de la toque à panache des Highlands d'Écosse [180]. Après la mort du prince Charles-Édouard Stuart en 1788, le jacobisme cessant d'être une menace politique, c'est vêtus du costume traditionnel des Highlands d'Écosse que le prince et ses deux frères se rendirent en 1790 à la mascarade de Madame Sturt [11]. Le futur George IV offrit à son épouse morganatique, Madame Fitzherbert, le camée dans lequel il est représenté dans ce même costume [180].

La collection de bijoux de sa mère, la reine Charlotte, comptait plusieurs portraits en camée. Cette dernière possédait notamment « une broche en forme de caducée sertie de diamants et comportant en son centre un beau portrait en camée de Guillaume III » et « un portrait en camée inséré dans

179 *ci-contre* Pendentif composé d'un camée représentant peut-être la princesse royale Anne (1709–1759). Le camée est entouré d'une guirlande de feuilles et de fleurs en diamant et rubis, nouée par un ruban. Monture et camée anglais, v. 1730. 50 x 40 mm.

180 Médaillon en or composé d'un camée représentant le prince de Galles (1762–1830) – futur George IV – dans le costume traditionnel des Highlands d'Écosse. Le camée est bordé d'un décor de chaîne. Monture et camée anglais, v. 1790. H. 25 mm. Le prince offrit ce médaillon à son épouse morganatique, Madame Fitzherbert.

181 *ci-contre* John Drummond (1679–1757), cinquième duc de Perth, peint par John Alexander, 1735. Son manteau est fermé par une broche composée d'un portrait en camée de Jacques III, le Vieux Prétendant, dont il défendit la cause jusqu'à en perdre sa fortune et devoir s'exiler.

un médaillon serti de diamants en grappes [12] ». La famille royale arborait des portraits en camée de George III – tout comme les sujets du roi, en signe de loyauté envers lui. Ainsi, la patriotique marquise de Salisbury apparut à la cour, selon *The Lady's Magazine*, à l'occasion de l'anniversaire du roi, le 4 juin 1803, « dans une robe bleu et argent festonnée de feuilles de chêne, avec un ornement de tête serti d'une profusion de diamants sur le devant [et ...] un portrait en camée de Sa Majesté, exécuté sur un gros rubis et agrémenté d'une très grande et très belle pendeloque de perle ».

Les bagues et les médaillons comportant un portrait de Jacques III qui avaient été fabriqués bien avant, lors de l'exil à Rome du prétendant au trône de la dynastie des Stuart, avaient une dimension tout aussi politique. Les jacobites, restés fidèles au roi, les arboraient par défi. C'était le cas, par exemple, du cinquième duc de Perth, dont le portrait peint par John Alexander en 1735 montre qu'il portait sur son armure un manteau qu'il fermait à l'aide d'une broche composée d'un portrait en camée de Jacques III [181]. Le prince Charles-Édouard Stuart, qui appartenait à la génération suivante, avait quant à lui distribué, tant avant qu'après sa défaite à Culloden, en 1745, d'autres portraits de lui-même et de son père, certains assortis de symboles et de devises telles que JACQUES III [d'Angleterre] VIII [d'Écosse], GOD SAVE YE KING (« Ô roi, que Dieu vous protège »). Dans l'un des modèles les plus importants (datant de son mariage en 1772), son portrait en camée est inscrit à l'intérieur de la jarretière bleue de l'ordre de la Jarretière, sur laquelle on peut lire la devise de l'ordre HONI SOIT QUI MAL Y PENSE. Cette jarretière est elle-même entourée d'une bordure de diamants sommée de la couronne royale d'Angleterre [182].

Le dernier roi de Pologne, Stanislas-Auguste, commanda des portraits au graveur sur gemmes français Romain Jeuffroy [13] et au graveur polonais Jan Regulski. En 1786, son buste en intaille gravé par Regulski dans un saphir de Ceylan fut monté en

HONI · SOIT · QUI · MAL · Y · PEN

182 *ci-contre* Broche sertie d'un camée en onyx représentant le Jeune Prétendant, c'est-à-dire le prince Charles-Édouard Stuart (1720–1788). Inscrit à l'intérieur de la jarretière bleue de l'ordre de la Jarretière – sur laquelle figure la devise de l'ordre –, ce portrait est entouré de brillants et sommé d'une couronne royale. Camée italien ; monture écossaise ou anglaise, v. 1772.

183 Insigne composé d'une intaille en saphir représentant le roi de Pologne Stanislas-Auguste (1732–1798). L'intaille est entourée de diamants et sommée d'une couronne royale. Intaille de Jan Regulski (1732–1798) ; monture de Jean Martin († 1795), 1786. 31 x 26 mm. L'insigne fut exécuté pour être remis au chancelier russe Alexandre Bezborodko.

médaillon par Jean Martin, orfèvre-joaillier de la couronne à Varsovie, qui entoura de diamants provenant de boucles de soulier et de jarretières du roi ce buste destiné au chancelier russe Alexandre Bezborodko [183]. Le roi de Pologne attendait beaucoup de sa rencontre avec Bezborodko et l'impératrice Catherine II, dite Catherine la Grande. La valeur et la beauté de ce cadeau témoignent de son désir de parvenir à un accord et de la conscience qu'il avait de son statut de roi. Quant à l'impératrice de Russie, aucune autre souveraine n'avait distribué autant de portraits d'elle-même depuis le règne d'Élisabeth Ire en Angleterre. Collectionnant avec ferveur les gemmes gravées, elle commanda elle-même des portraits en pierre dure à Johann Caspar Jaeger, agrémentés de nombreux diamants [184], montés le plus souvent en bagues mais aussi en médaillons, et parfois sommés de la couronne impériale [187]. Dans les portraits de l'impératrice, qui géra les ressources d'un immense empire et fut le plus grand autocrate de l'époque, transparaît le pouvoir d'une monarchie absolue.

184 Pendentif dont l'intaille en émeraude représente Catherine II (1729–1796), impératrice de Russie. Celle-ci porte une couronne de laurier et un ornement de tête en perles. La monture, sertie de diamants ronds, comporte une bélière. Intaille de Johann Caspar Jaeger (actif à Saint-Pétersbourg 1772–1780) ; monture plus tardive. Ce bijou fut offert par l'impératrice au comte Orlov.

185 Bague sertie d'un camée en agate entouré de diamants et représentant Catherine II de Russie. Camée et monture, Saint-Pétersbourg, v. 1782–1790. 28 x 25 mm.

186 Camée en agate monté en pendentif et représentant Catherine II de Russie. Le portrait de l'impératrice est entouré de brillants. Camée et monture, Saint-Pétersbourg, v. 1782–1790. 32 x 29 mm.

187 *ci-contre* Camée en agate monté en pendentif représentant Catherine II de Russie. Le portrait est entouré de brillants, eux-mêmes entourés de diamants plus petits, et est sommé d'une couronne impériale suspendue à une chaîne en diamants. Camée de Johann Caspar Jaeger, v. 1774–1780, d'après une médaille de 1774 commémorant la signature du traité de paix entre la Russie et la Turquie ; monture de même époque, Saint-Pétersbourg. Médaillon : 43 x 26 mm.

Les médailles

Les médailles commémorant les victoires militaires, les batailles navales ou tout autre grand événement marquant étaient éditées en très grand nombre et remises à l'unité ou en lots, avec ou sans chaînes, pour être portées en décoration. Le frontispice de l'ouvrage de G.-R. Fleurimont intitulé *Médailles du règne de Louis XV* témoigne clairement de la dimension politique de ces médailles, car on y voit un portrait en médaille du roi associé à des symboles de souveraineté [188]. Ce portrait lauré est attaché à la pyramide de l'immortalité « qui s'éleve dans les Nües », et est couronné par la Gloire et soutenu par la Renommée « qui annonce le Heros a l'univers » ; « la France contemple avec admiration ce Spectacle » ; « divers Genies arrestent le Temps », et « les Fastes du prince » sont écrits « sur un Bouclier suspendu en Trophée à un Palmier » tandis que des « Enfans s'amusent a rependre des Medailles sur le Globe de la Terre ».

Selon le registre des présents du roi, Giberto, un « navigateur de Monaco [14] », reçut en 1718 pour « services rendus [...] aux négociants français dans le Levant » une médaille en or sur laquelle étaient représentés d'un côté le régent, Philippe d'Orléans, et de l'autre Louis XV enfant. La même année, une autre médaille fut décernée à Voltaire, alors âgé de vingt-quatre ans, pour sa pièce *Œdipe*, tandis que le peintre miniaturiste Charles Boit recevait, « en considération de ce qu'il a[vait] fait un portrait de Sa Majesté en émail, d'une grandeur extraordinaire, une chaîne d'or avec sa médaille [15] ». Les personnes ainsi honorées tiraient une grande fierté de leurs médailles, comme en témoigne Martin van Meytens, peintre à la cour de l'impératrice Marie-Thérèse, dans un autoportrait datant des années 1740 [2, 189] où il tient à la main un portrait en miniature de l'impératrice doté d'une monture ornementale et porte, suspendue à une chaîne passée autour du cou, une médaille à l'effigie de l'époux de celle-ci, l'empereur François Ier.

La coutume consistant à remettre des médailles pour services rendus se poursuivit au cours de la seconde moitié du siècle : en 1755, par exemple, le secrétaire du comte d'Albemarle reçut de Louis XV une médaille en or assortie d'une chaîne, d'une valeur de 1 580 livres. En 1757, le marquis de L'Hôpital offrit au comte Woronzow, chancelier de l'impératrice Élisabeth, un médaillier qui, contenant 150 médailles en or, fut estimé à 29 986 livres. La cour de Russie étant devenue dans les esprits synonyme de magnificence, la France se devait de faire les cadeaux les plus beaux et les plus onéreux possible.

Les médailles pouvaient être suspendues à des rubans passés autour du cou mais, comme le portrait était souvent fondu avec sa bordure décorative et considéré en soi comme un objet prestigieux, leurs montures étaient rarement agrémentées de pierreries [16]. Le cas du « magnifico e nobil dono » est exceptionnel. Ce « magnifique et noble cadeau » que le roi de Danemark Christian VI, amateur d'art, envoya au graveur, marchand d'art et connaisseur Antonio Maria Zanetti figure à la fin du catalogue de la collection Zanetti, *Le gemme antiche di Anton-Maria Zanetti*, publié par A.-F. Gori en 1750 [190]. Cette médaille en or à l'effigie du roi est sommée de la couronne royale et entourée de diamants ; au revers, Minerve tend une couronne de laurier. Gori fut sensible à cet « exemple extrêmement rare de sagesse et de générosité ».

188 Frontispice de l'ouvrage de G.-R. Fleurimont, *Médailles du règne de Louis XV*, 1748. Gravure de Cars d'après un dessin de François Le Moine.

À partir des années 1720, la tabatière devint le cadeau le plus souvent offert par les souverains, et des médailles furent de plus en plus fréquemment insérées dans leur couvercle. Une boîte en écaille de tortue porte ainsi une médaille à l'effigie de Charles Ier, dénotant la loyauté du récipiendaire envers la maison des Stuart et le Prétendant, Jacques III, en exil à Rome [191]. Dans *Le Mercure* de janvier 1775, M. Granchez, le propriétaire plein d'initiative de la maison « Au Petit Dunkerque », fit de la publicité pour des tabatières « représentant le Bonheur de la France » parce que comportant deux médaillons, l'un figurant Louis XVI et l'autre son ancêtre Henri IV. En janvier 1776, il réitéra son offre en présentant cette fois-ci des tabatières de divers prix agrémentées d'un portrait en médaille du frère du roi, le comte d'Artois, dû à C.-F. Trébuchet [17]. Deux souverains, parmi les rares à s'être vu attribuer le titre de « Grand », sont représentés sur des boîtes similaires dans des médailles commémoratives. La première, qui porte la signature du médailliste suisse Jean-Melchior Morikofer, évoque le génie militaire ayant jeté les bases de l'empire prussien [192], puisque son couvercle est serti d'une médaille d'argent représentant Frédéric II, dit Frédéric le Grand, portant, sur son armure, un manteau orné de couronnes brodées. Le portrait est entouré du titre du roi, FRIDERICUS MAGNUS REX BORUSSORUM et au revers est représentée une Victoire écrivant SAECULUM FRIDERICI (le siècle de Frédéric) dans un livre tenu par le Temps. La médaille insérée dans le couvercle de la seconde boîte [193] représente en Minerve, vêtue d'une armure complète, Catherine II de Russie, dite Catherine la Grande. Cette médaille, exécutée par Johann Georg Waechter pour le couronnement de l'impératrice, fut remise à tous ceux qui avaient pris son parti lors de la révolution de palais l'ayant conduite sur le trône.

189 Autoportrait de Martin van Meytens (1695–1770), 1740–1750. Dans cet autoportrait, l'artiste tient à la main un portrait en miniature de l'impératrice Marie-Thérèse, entouré d'une monture ornementale, et porte autour du cou une médaille à l'effigie de son époux, l'empereur François Ier. Ces deux portraits lui furent remis en sa qualité de peintre à la cour de Vienne. (Voir détail, ill. 2)

LXXX
CHRIST·VI·D·G·REX DAN·NORV·VAND·GOTH·
PRÆMIVM VIRTVTIS

190 *ci-contre* Gravure d'une médaille à l'effigie du roi de Danemark Christian VI (1699–1746). Sommée d'une couronne et entourée de diamants, cette médaille a été offerte au Vénitien Anton Maria Zanetti, v. 1740. La gravure est reproduite dans le catalogue des gemmes de Zanetti, publié en 1750.

En Angleterre, en 1789, la guérison de George III après le premier accès de sa maladie fut célébrée par ses sujets, qui montrèrent en public leur indéfectible attachement au roi en portant son portrait en médaille lors de plusieurs assemblées. La plupart de ces portraits avaient une monture fort simple, mais certains étaient dotés d'une bordure rehaussée de perles et même de diamants.

191 Tabatière en écaille de tortue destinée à un partisan des Stuart. Le couvercle porte une médaille commémorative à l'effigie du roi d'Angleterre Charles Ier, ainsi que l'étoile et la devise de l'ordre de la Jarretière. Médaille de Thomas Rawlins (actif 1620–1670) d'après Van Dyck ; monture, v. 1720. 75 x 57 mm.

193 *ci-contre* Tabatière en or avec un couvercle serti d'une médaille éditée à l'occasion du couronnement de Catherine II de Russie et la représentant en Minerve. Sur la médaille figure l'inscription suivante, en russe : « Catherine II impératrice et autocrate de toutes les Russies par la grâce de Dieu. Voici ton salut. ». Médaille de Johann Georg Waechter (1726–1800), 1762 ; boîte de Jean-Pierre Ador, 1774. DIAM. 82 mm.

192 *à gauche* Boîte en argent avec un couvercle serti d'une médaille en argent à l'effigie du roi de Prusse Frédéric le Grand (1712–1786), par Jean-Melchior Morikofer (1706–1761), 1759. 50 x 10 mm.

Б.М. ЕКАТЕРИНА II. ИМПЕРАТ. И САМОДЕРЖ. ВСЕРОСС.

Les miniatures et les silhouettes

Si un portrait en miniature remis par le monarque ou toute autre personne de haut rang était une marque de faveur et de prestige, les portraits échangés à titre privé étaient considérés comme de précieux gages d'amour ou d'amitié. Dans la pièce de Marivaux intitulée *Les Fausses Confidences* (créée en 1737), Araminte déclare à Dorante, son soupirant : « Vous donner mon portrait ! Songez-vous que ce serait avouer que je vous aime [18] ? »

Les fortes émotions déclenchées par la possession d'un portrait en miniature inspirèrent poètes, dramaturges et romanciers. Jean-Jacques Rousseau eut recours dans son roman *La Nouvelle Héloïse* (1761) à un grand nombre de mots ardents pour décrire l'effet sur Saint-Preux d'un portrait en miniature de Julie, son amante [195]. Celui-ci s'exclame, par exemple : « Charmes adorés, encore une fois vous aurez enchanté mes yeux [19]. » Une querelle à propos d'un portrait en miniature, allant presque jusqu'au duel, constitue le thème d'une comédie d'Elizabeth Craven précisément intitulée *La Miniature*, jouée au Drury Lane Theatre à Londres en 1780. De fait, le portrait en miniature jouait un grand rôle dans la vie privée des contemporains. Selon Madame de Genlis, son futur époux, Monsieur de Puisieux, prisonnier de guerre en Angleterre, tomba amoureux d'elle en voyant son portrait en miniature dans une boîte dont son père, lui-même prisonnier, ne se séparait jamais [20]. Ce type de portrait en miniature, conçu pour tenir dans la main et être tendrement contemplé, était source d'autant de plaisir et de fierté que le portrait offert par un souverain constituait une marque de distinction.

Les plus petits portraits en miniature étaient montés en bagues et agrémentés de perles et de pierres précieuses, comme dans le cas du legs de la marquise de Vassé à Monsieur de Croismart en 1749, qui comprenait « le grand portrait de mon frère se trouvant dans ma chambre et une bague ornée d'une miniature du même entourée de diamants [21] ». D'autres bagues comportant un portrait en miniature furent achetées à Ange-Joseph Aubert, joaillier de la cour :

> en 1756, pour la duchesse de Cossé-Brissac, « une bague à portrait représentant Monsieur le Marquis de Brissac entouré d'émeraudes et karats à jonc d'or » ;
>
> en 1768, pour M. Murat, « une bague d'un grand portrait entouré de 43 roses et 5 dites de chaque côté avec une peinture dessous et deux cristaux » ;
>
> en 1770, pour le marquis de Barbantane, « une bague au portrait de madame la duchesse de Bourbon, montée à l'antique avec des roses sur les côtés et sur la batte composée de 63 roses » ;
>
> en 1775, pour la reine Marie-Antoinette : « une bague à portrait de Madame la Princesse de Lamballe [...] avec entourage de roses et des roses sur les costes à l'antique ».

La bague de Madame de Laval – provenant également de chez Aubert –, « une bague d'un portrait en or uni avec cristal », était plus simple. En 1778, Gravier, joaillier à « À la descente du Pont-Neuf », exécuta pour Monsieur de Portelance « une bague en brillants sur la grandeur du portrait de Madame et y pla[ça] le dit portrait ; [et] une [...] pour le portrait de Mademoiselle sur la grandeur de la bague à chiffre [22] ». Des portraits royaux étaient également commandés pour être montés en bagues : en 1763, le miniaturiste Cazaubon fournit ainsi cinq portraits de Louis XV destinés à servir de présents ainsi que, probablement pour un proche de la famille royale, trois portraits représentant ses filles Adélaïde, Sophie et Louise destinés à être enchâssés dans une même bague [23]. En 1769, Monsieur de Pair et le marquis de Vernouillet achetèrent tous deux à Aubert des bagues dotées d'un chaton tournant dans lequel étaient insérés un portrait de Louis XV et un autre d'Henri IV « tournant ensemble dans un entourage de roses ». En 1776, la duchesse de Civrac exprima son soutien à Louis XVI en portant « une bague d'un portrait du Roi entouré de 25 brillants, monture dite à l'antique et fourniture de cristal ».

La plupart des miniatures étaient enchâssées dans des médaillons de col, c'est-à-dire destinées à être suspendues à une chaîne passée autour du cou [194]. Ces médaillons, répertoriés sous le terme de « boîte à portrait », étaient, comme au cours de la période précédente, remis à des fins diplomatiques à ceux qui prenaient part aux négociations entreprises en vue d'un mariage royal – y compris la future mariée – ou encore à ceux qui remplaçaient le roi et la reine comme parrain et marraine à un baptême. Ces médaillons pouvaient cependant aussi être offerts à divers membres de la famille en signe d'affection. Les montures, désormais enrichies de diamants de différentes tailles, dont certains de toute première qualité, furent fournies à partir de 1714 par le joaillier Claude-Dominique Rondé, puis par ses successeurs Jean Gaillard et Ange-Joseph Aubert. La pièce de loin la plus belle (dont la monture coûta 129 852 livres) fut celle offerte en 1720 au marquis Scotti, ambassadeur du duché de Parme venu assister au mariage de la fille du régent, Mademoiselle de Valois ; les 42 brillants et les 15 diamants en rose de la monture étincelaient tel le soleil autour du portrait du jeune régent, dû à Jean-Baptiste Massé.

Les motifs des bordures évoluèrent avec le temps : les rinceaux furent supplantés par des guirlandes plus décoratives, des couronnes de laurier et des rosettes, ou encore des rubans formant au sommet un nœud à boucles [196]. Conformément au goût néoclassique naissant, le portrait en miniature du futur Louis XVI peint par Pierre-Adolphe Hall et envoyé à l'archiduchesse Marie-Antoinette avant leur mariage en 1770 avait été inséré dans un « cadre à la grecque », serti de « 70 gros diamants [24] ». Curieusement, le portrait en miniature de Louis XV envoyé en 1773 au ministre des Affaires étrangères de Sardaigne à l'occasion du mariage de la princesse Marie-Thérèse de Savoie avec le comte d'Artois était inséré dans une boîte ornée, non pas de la couronne habituelle, mais de « grandes palmes, fleurs et rubans » et « garnie de 688 brillants [25] ».

Denis Diderot, figure de proue des Lumières, laisse entrevoir, dans sa correspondance avec Sophie Volland, l'importance des médaillons pour les amants. Lorsque celle-ci envisage de mettre le portrait en miniature de sa sœur et celui de Diderot dans la même boîte, ce dernier y consent mais ajoute : « Si votre sœur se résout à ce que nous lui demandons, et que vous nous aiez tous les deux, Sophie prenez garde, ne la regardez pas plus tendrement que moi. Ne la baisez pas plus souvent [26]. »

Si les dimensions des médaillons pouvaient varier, leur forme était le plus souvent ovale. (Il y eut des exceptions : en 1786, la comtesse Esterházy commanda à l'orfèvre parisien Guidi un médaillon d'une forme plus symbolique, à savoir un cœur en or massif, poli tant à l'intérieur qu'à l'extérieur, et renfermant deux portraits en miniature.) Destinés à être suspendus, les médaillons étaient sommés d'un nœud à boucles ou d'un trèfle dissimulant la bélière [27]. Une tresse de cheveux pouvait entourer le portrait ;

194 *ci-contre* La comtesse de Flahaut (1761–1836) et son fils Charles, qui tient un portrait en miniature de sa tante et marraine, la comtesse d'Angivillers. D'après un portrait d'A. Labille-Guiard, 1785.

195 Gravure d'après Jean-Michel Moreau illustrant l'édition de 1793 de *La Nouvelle Héloïse* de Jean-Jacques Rousseau. Elle représente Saint-Preux, fou de bonheur à l'idée de posséder un portrait en miniature de son amante, Julie.

196 *ci-contre* Portraits en miniature des frères Joseph (1740–1810) et Étienne (1745–1799) de Montgolfier, les inventeurs des premiers aérostats. Monture en métal doré à décor de feuilles de laurier et de rubans. Les rubans sont liés par un nœud à boucles. Miniatures attribuées à André Pujos (1738 ?–1788), 1783 ; monture de même époque. Chaque miniature : 34 x 29 mm.

une mèche de cheveux ou tout autre gage d'amour pouvait en outre être placée au revers. La miniature était protégée par une vitre de cristal. En 1791, le comte de Noailles commanda « un grand médaillon en or ayant deux cristaux, d'un côté le portrait de Monsieur le Comte et de l'autre un ruban bleu [28] ». Les montures pouvaient être enrichies de diamants, de perles et d'or, parfois perlé. L'un des portraits les plus touchants, celui du comte de Beaujolais à l'âge de onze ans, peint sous la Révolution par Jean-Urbain Guérin, a une monture toute simple, mais dans une inscription rédigée par sa mère, la duchesse d'Orléans, et ajoutée ultérieurement au revers, celle-ci a exprimé non seulement son amour pour son fils « si digne d'être chéri [...] son Cœur dans tous les tems [ayant] répond[u] au sien », mais aussi la tristesse dans laquelle sa mort l'avait plongée [29].

La popularité du bracelet à portrait, porté avec ostentation dans les grands portraits de l'époque, se trouve confirmée par le nombre de bracelets de ce type figurant non seulement dans le registre des présents du roi mais aussi dans les comptes des joailliers, les testaments et les inventaires. Selon le registre des présents du roi, quatre bracelets composés d'un portrait de Louis XV entouré de diamants et destinés aux dames de la suite de l'archiduchesse Marie-Antoinette furent envoyés à Vienne à l'occasion du mariage de cette dernière avec le dauphin. Un an plus tard, le portrait du comte de Provence, peint en miniature par Pierre-Adolphe Hall et inséré dans un bracelet, fit très bonne impression sur sa fiancée, Marie-Joséphine de Savoie, à qui il avait été offert. Elle écrivit ainsi : « L'image du jeune prince qu'il représente a excité en moi plus d'un sentiment agréable [30]. » En 1775, quand la princesse Clothilde de France épousa le prince de Piémont, elle offrit, lors du bal de l'ambassade, à la comtesse de Viri, l'épouse de l'ambassadeur de Sardaigne à Paris, « deux bracelets de chez Solle, composés ensemble de 36 brillants. Sur l'un, le portrait du Roi peint par [J.-D.] Welper ; sur l'autre, celui de la princesse de Piémont, par [R.] Ducreux [31] ». La plupart de ceux offerts par

Louis XVI comportaient aussi un portrait de la reine : la comtesse Braschi, nièce du pape Pie VI, qui avait été « chargée du choix des langes bénits » offerts par le pape pour le baptême du dauphin en 1782, reçut « deux bracelets et un médaillon. Il représent[ait] les portraits du Roi, de la Reine et du Dauphin, par [Louis-Marie] Sicardi, entourés chacun de 20 brillants [32] ».

Attachés à des rangs de perles – des plus chères, « rondes, blanches et parfaites » jusqu'aux moins coûteuses, constituées de diverses substances artificielles –, les portraits allant par paire et destinés à servir de milieux de bracelet pouvaient représenter, par exemple, un père et une mère ou un frère et une sœur. En 1753, Madame Hérault de Marville légua « deux portraits en bracelet, un de [s]on père et l'autre de [s]a sœur [33] ». Les mères aimaient avoir le portrait de leurs enfants à leur poignet. En 1756, la duchesse de Cossé-Brissac laissa ainsi « deux portraits en bracelet représentant Messieurs le comte de Cosse Brissac et marquis de Cosse Brissac ([s]es enfants) entourés de deux rangs de diamants brillants au nombre de chacun 42 pieces avec leur bracelet de 9 rangs de petites perles blanches fausses [34] ». Les miniatures dites tournantes étaient montées sur pivot et comportaient un portrait sur chaque face mais l'un de ceux-ci pouvait être remplacé par un chiffre ou une mèche de cheveux. (Ainsi, dans la pièce faisant pendant au portrait en miniature du duc de Bourgogne que portait la princesse Marie-Josèphe de Saxe se trouvaient des cheveux de son défunt mari, le dauphin [35].) Certains portraits étaient simplement entourés d'une bordure en or uni tandis que d'autres avaient des encadrements plus sophistiqués, ornés de lacs d'amour, de fleurs et de rubans comme en témoignent les dessins publiés dans le *Traité des pierres précieuses* de J.-H.-P. Pouget (1762).

Si la plupart des portraits en miniature étaient montés en bagues, médaillons et milieux de bracelet, ils pouvaient aussi être insérés dans d'autres objets, notamment des tabatières ou boîtes à priser offertes par le monarque ou des personnes privées. Au début, les miniatures, placées à l'intérieur, se détérioraient en quelques jours au contact de la poussière noire du tabac : c'est pourquoi un fermier général très fortuné, Monsieur Le Riche de La Popelinière, eut l'idée dans les années 1720 de placer les miniatures sur le couvercle des boîtes. Les portraits en miniature ornaient également d'autres accessoires, qui pouvaient aussi être rehaussés de pierreries : des carnets [199, 200], des carnets de bal [198], des nécessaires (de toilette ou à couture), des souvenirs, des porte-billets, des montres et même des garnitures de boutons [202]. On racontait l'histoire d'un gentilhomme qui était arrivé tard à un bal parce que le tailleur qu'il avait engagé pour coudre un ensemble de boutons représentant plusieurs beautés françaises l'avait fait attendre et parce que lui-même avait ensuite eu du mal à décider laquelle placer le plus près de son cœur [36]. À la chasse, le prince de Condé portait, à côté de sa montre, un portrait en miniature de son fils Louis-Henri-Antoine de Bourbon, duc d'Enghien. Ce portrait, dont la monture était en or émaillé, était fixé à des lanières en cuir se terminant par des glands enserrant des cheveux de l'enfant [201].

Pour ceux qui préféraient ne pas faire étalage d'un portrait en miniature, les joailliers le dissimulaient à l'intérieur d'une bague, d'un médaillon ou d'une tabatière à secret [203–205]. Pour le regarder, il suffisait d'appuyer sur un ressort invisible. La bague en diamants et cornaline que Madame du Châtelet portait constamment est devenue célèbre : elle y dissimulait le portrait en miniature de son amant du moment. Ainsi y glissa-t-elle tout d'abord celui de Monsieur de Richelieu, puis celui de Voltaire et, enfin, celui qui succéda à ce dernier, Monsieur de Saint-Lambert. Apprenant cette trahison, Voltaire réagit avec philosophie et déclara : « Un clou chasse l'autre : ainsi vont les choses de ce monde [37]. » Aubert fut à plusieurs reprises chargé de dissimuler

197 *L'Amant regretté*, gravure d'Antoine-François Dennel d'après P. Davesne, v. 1770. Les sentiments de la dame contemplant le portrait en miniature de son amant absent sont soulignés par les feuilles de lierre qui entourent son portrait, symboles d'un attachement durable.

198 Carnet de bal avec un portrait en miniature de la reine Marie-Antoinette, au-dessus duquel on peut lire le mot D'AMITIÉ inscrit en diamants. Miniature de Louis-Marie Sicardi (1746–1825), 1783 ; monture de même époque, Paris.

un portrait en miniature sous un chiffre. Ce fut le cas en 1773 pour un bijou destiné au marquis de Spinola, « une bague de chiffre composée de 72 roses sur une composition bleue entourée de 28 brillants, façon de la dite bague montée à l'antique avec place pour un portrait ». Dans la bague fabriquée pour le prince de Monaco en 1775, la miniature, visible sur simple action d'un mécanisme, était gardée de manière plus symbolique par une représentation du dieu du Silence peinte en grisaille sur le chaton, à l'intérieur d'une bordure de diamants, invitant précisément à rester discret. De même fut fabriqué en 1769 pour Madame de Berville « un bracelet d'un chiffre des lettres LDB avec une guirlande en brillants autour et un portrait à secret au-dedans ». Caché à l'intérieur d'une rose, le portrait en miniature que Marie-Antoinette donna à son amie, la princesse de Lamballe, ne devenait visible que si on actionnait un ressort dissimulé dans la tige. La princesse portait cette rose en broche sur son fichu [38].

D'autres portraits en miniature, qui pourraient avoir été commandés à des fins politiques, étaient dissimulés dans des tabatières, des nécessaires à portrait ou des écritoires, dont l'un des plus célèbres est l'écritoire en laque que l'impératrice Marie-Thérèse envoya en 1759 à la marquise de Pompadour pour la remercier d'avoir usé de son influence sur le roi et ainsi contribué à la réalisation de l'alliance franco-autrichienne au début de la guerre de Sept Ans [39]. Alors que celui-ci ne comportait qu'un portrait en miniature de l'impératrice, entouré de diamants, certains cadeaux de ce type comptaient deux miniatures, l'une la représentant et l'autre représentant son époux, François Ier, avec lequel elle co-régnait. La tabatière fabriquée par Franz von Mack et envoyée par l'impératrice en 1775 à l'archiduc Charles-Alexandre de Lorraine, veuf de sa sœur Marie-Anne et gouverneur des Pays-Bas autrichiens, a une dimension politique encore plus prononcée [206, 207]. Elle comporte treize portraits peints sur le couvercle, les côtés et le dessous de la boîte par le miniaturiste de la couronne, Antonio Bencini. Ces portraits

D'amitié

201 *ci-contre* Médaillon à bordure émaillée comportant un portrait en miniature du duc d'Enghien (1772–1804) enfant. Ce médaillon est fixé à des lanières en cuir se terminant par des glands qui enserrent des cheveux de l'enfant. Son père, le prince de Condé, le portait à la chasse. Miniature et monture françaises, v. 1775. 26 x 35 mm.

199, 200 Carnet en laque du Japon à décor en *hiramaki-e* d'or, renfermant des portraits en miniature protégés par un verre. Il s'agit de ceux du dauphin, de Marie-Josèphe de Saxe et des six sœurs du dauphin alors encore en vie. L'une d'elles, Madame Adélaïde, offrit ce carnet à sa dame d'honneur, la comtesse de Narbonne, en 1750. Carnet d'Antoine Leschaudel. H. 145 mm.

202 Quelques pièces d'une garniture de boutons en argent sur lesquels diverses personnalités du monde politique ou artistique français ont été représentées en miniature. Au dos de chaque bouton est gravé le nom de la personne représentée, et chaque portrait est entouré d'une bordure en pâte de verre, 1790.

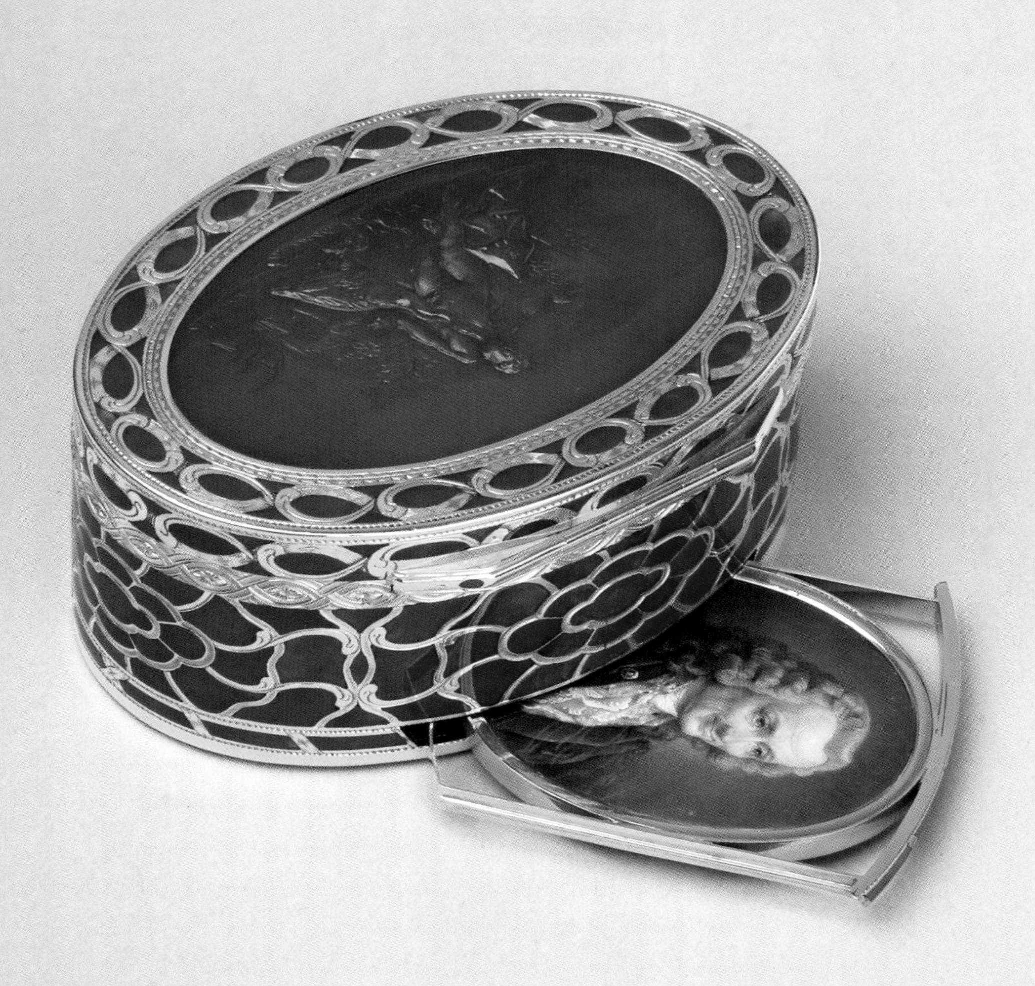

203–205 Tabatière à secret dans laquelle est dissimulé un cadre coulissant enserrant un portrait en miniature de Voltaire (1699–1778) et un autre de sa maîtresse, Madame du Châtelet (1706–1749). Miniatures d'Hubert Drouais (1699–1767) ; tabatière de J. C. Neuber, Dresde, 1775. 44 x 34 mm (Voltaire) ; 46 x 36 mm (Madame du Châtelet).

représentent les quatre fils et six filles de Marie-Thérèse encore en vie à l'époque, ainsi que l'impératrice elle-même, flanquée de l'archiduc Charles-Alexandre et de son épouse. Ainsi réunies, ces miniatures, toutes entourées de bordures de diamants, affirmaient la puissance de la dynastie que l'impératrice avait établie. La succession des Habsbourg était assurée puisque Marie-Thérèse avait encore quatre fils : l'aîné, qui avait déjà endossé le rôle de co-régent de feu son père sous le nom de Joseph II ; le second prétendant au trône, qui allait succéder à Joseph II sous le nom de Léopold II ; et enfin les deux plus jeunes, Maximilien et Ferdinand. Le mariage de trois des filles de l'impératrice aux souverains de France, de Naples et de Parme avait permis de consolider durablement les alliances entre Vienne et les autres cours d'Europe. Trente-cinq ans plus tôt, en 1740, le droit de la jeune impératrice de succéder à son père en tant que femme avait été contesté, et l'empire des Habsbourg était en plein désarroi. On peut donc penser qu'offrir cette boîte ornée de multiples portraits était pour Marie-Thérèse une façon de faire valoir triomphalement tout ce qu'elle avait accompli en sa qualité à la fois de mère et de monarque. Une monture conçue pour un simple portrait en miniature de l'impératrice, possède un décor dénotant un même triomphalisme [208].

Appartenant à un registre bien différent, l'œil peint en miniature, dont la France avait lancé la mode, était considéré comme un objet plus personnel dans la mesure où il dénotait clairement les sentiments éprouvés [209]. Dans une lettre du 27 octobre 1785, Horace Walpole fit part à lady Ossory de son indignation : « Quand la folie humaine, ou plutôt la folie des Français, va si loin, tout autre exemple de sottise passe inaperçu – mais savez-vous, Madame, que c'est maintenant à la mode, n'est-ce pas, d'avoir des portraits composés juste d'un œil ? Ils disent : “Monsieur, vous n'êtes pas au courant ? Un Français est venu ici peindre des yeux.” » Son avis n'était guère partagé, et tant Richard Cosway que son rival, George Engleheart, se

206, 207 *ci-contre* Tabatière à la gloire de la dynastie des Habsbourg. Elle porte les initiales entrelacées de l'impératrice alors veuve, Marie-Thérèse (1717–1780), et de feu son époux, François Ier, mais aussi les portraits en miniature, entourés de diamants, de ses dix enfants encore en vie. Le portrait en miniature de l'impératrice, placé sur le dessous de la boîte, est flanqué de celui de l'archiduc Charles-Alexandre de Lorraine (1712–1780) et de son épouse, Marie-Anne (1718–1744) – sœur de l'impératrice. Charles-Alexandre, auquel l'impératrice offrit cette tabatière, était doublement son beau-frère puisqu'il était à la fois le frère de son époux décédé et le mari de sa sœur. Miniatures d'Antonio Bencini ; tabatière de Franz von Mack (1730–1805), Vienne, 1775.

mirent à peindre l'œil – ce miroir de l'âme que les proches identifient si facilement – pour ceux de leurs clients qui suivaient la mode [40]. De temps en temps, le regard amoureux s'accompagne de devises ou de vers inscrits au revers comme, par exemple, « Heureux celui qui voit sans être vu », ou encore « Acceptez le cœur et le portrait de celle qui vous aime et vous sera fidèle ».

Les nombreuses références au portrait en miniature dans la littérature anglaise du XVIIIe siècle confirment que porter ces portraits – comme gages d'amour entre hommes et femmes ou entre parents et enfants, comme marques d'estime données par les souverains à leurs sujets ou encore comme symboles de loyauté politique – était une coutume répandue. Clarissa Harlowe, l'héroïne éponyme du roman de Samuel Richardson (1778), lègue son portrait en miniature, peint par un Italien « afin qu'elle le donnât à l'homme auquel [elle devait] un jour être des plus enclines à accorder [s]es faveurs ». Et quand Miss Sterling, l'héritière sur le point d'épouser un baronnet dans la comédie satirique de George Colman, *Le Mariage clandestin*, montre ses nouveaux bijoux à une amie, elle lui demande : « Comment trouvez-vous [...] ces bracelets [?] J'aurai d'un côté le portrait de mon père entouré de diamants, de l'autre celui de sir John [41]. » Dans le roman d'Henry Fielding intitulé *Amélie Booth*, le capitaine Atkinson, qui avait volé le portrait en miniature de la vertueuse héroïne – « monté en or avec trois petits diamans [42] » – le lui restitue après lui avoir confessé, sur son lit de mort, être l'auteur du vol. L'héroïne met ensuite le portrait en gage pour pouvoir nourrir son mari, ce qui conduit au repentir du criminel ayant soustrait au couple ses biens.

La réalité atteste également de cette coutume. Le poète Richard Hayley écrivit ses premiers vers pour une certaine Miss Read, qui avait peint une miniature le représentant et destinée à être insérée dans un bracelet de sa mère. Tysoe Paul Hancock laissa pour sa part à sa fille, Betsy, le portrait en miniature de son

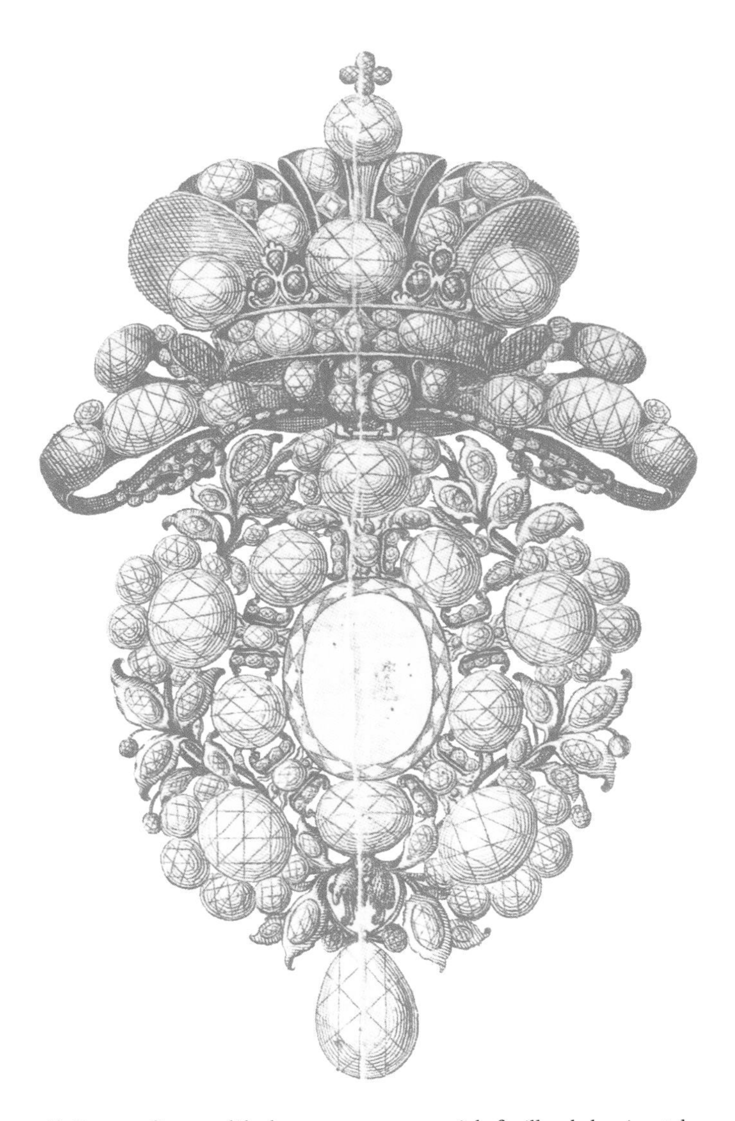

208 Gravure d'un modèle de monture destiné à recevoir un portrait en miniature. Le logement prévu pour le portrait est entouré d'un décor de diamants en rose, composé de feuilles de laurier et de l'insigne de l'ordre de la Toison d'or, sommé de la couronne impériale. Gravure allemande du milieu du XVIIIe siècle.

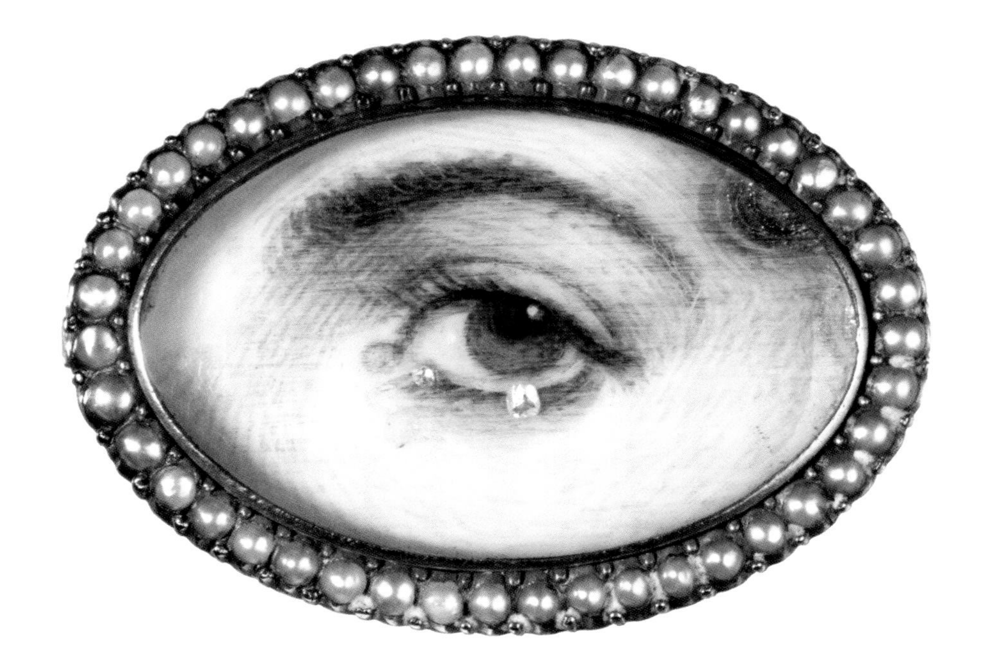

209 Broche composée d'une miniature et d'une monture en argent doré. La miniature, qui représente un œil gauche bleu versant une larme de diamant, est bordée de perles. Miniature et monture anglaises, fin du XVIIIe siècle. 21 x 30 mm.

210, 211 Avers et revers d'un médaillon en or sommé d'une couronne royale et retenant une pendeloque de perle. Sur l'avers, le portrait en miniature du roi de Grande-Bretagne et d'Irlande George II (1683–1760) est entouré de diamants et de rubis. Au revers, quelques-uns de ses cheveux ont été placés sous le chiffre royal, encadrés par l'étoile, la jarretière à boucle et la devise de l'ordre de la Jarretière. Miniature dans le style de G. A. Wolffgang (1703–1745) ; monture de même époque.

épouse Philadelphia – sœur du révérend George Austen et tante de Jane Austen –, peint par John Smart, entouré de diamants et monté en bague. Il espérait qu'elle ne s'en séparerait jamais car il « voul[ait] qu'il lui rappel[ât] la personne que fut sa mère ainsi que ses vertus [43] ». En 1775, l'épouse de l'amiral Edward Boscawen fit parvenir à ce dernier qui s'apprêtait à lever l'ancre pour l'Amérique son portrait en miniature accompagné du message suivant : « Une amie très sincère que, bien qu'elle soit femme, je recommande très fortement à votre bon souvenir et à votre affection parce que j'ose vous assurer qu'elle vous accordera la première place dans la sienne. Je ne pense pas qu'elle vous déclarera l'estime particulière dans laquelle elle vous tient, mais si vous consultez ses regards, vous n'aurez aucun mal à les déchiffrer [44]. »

En Angleterre, les monarques de la maison de Hanovre, notamment George II [210, 211], adoptèrent la coutume consistant à offrir, pour bons et loyaux services ou en signe d'amitié, un portrait en miniature monté en bijou. George III et son épouse, la reine Charlotte, qui se marièrent en 1761, offrirent de nombreux portraits en miniature, à des fins politiques ou plus personnelles. Le milieu d'un des deux bracelets de perles que le roi envoya à sa future épouse à l'occasion de leurs fiançailles comportait son portrait en miniature ; celui du second bracelet, une mèche de cheveux et des diamants formant son chiffre couronné. Les deux milieux de bracelet étaient bordés de diamants. La reine Charlotte porte au poignet le portrait en miniature du roi dans l'esquisse peinte par Joshua Reynolds à l'occasion du mariage de la reine ainsi que dans des portraits exécutés par Zoffany [212], Benjamin West et Beechey. Dans un portrait peint par Gainsborough, elle porte un portrait en miniature du roi inséré dans un grand médaillon. Peut-être est-ce celui qu'elle arborait, selon *The Lady's Magazine*, suspendu à une chaîne de diamants passée autour de son cou, le jour de son anniversaire, le 18 janvier 1798. Il pourrait avoir été logé dans la monture qui fut vendue avec ses bijoux après sa mort en 1818, « sertie de 24 gros et beaux brillants blancs et de nombreux autres plus petits, suspendue à un nœud de diamants, avec un beau brillant blanc en son centre [45] ». Elle offrit au roi en cadeau d'anniversaire, le 4 juin 1764, une bague de diamants comportant deux portraits en miniature : ceux des princes George et Frederick, peints « d'après nature » par Francis Sykes alors qu'ils étaient encore bébés [46]. Le roi et la reine offrirent des portraits en miniature d'eux-mêmes et de leurs enfants [213] à des gens très divers. En tant que maîtresse de la garde-robe de la reine, la duchesse d'Ancaster était très proche de celle-ci, comme en témoigne le « portrait de Sa Majesté, encadré de diamants et sommé d'une couronne de diamants, que la duchesse portait d'un côté, comme la reine celui de Sa Majesté le roi [47] ». « [En 1784,] la reine dit à lady Weymouth de passer une chaîne autour du cou de [Madame] Delany et, au bout de cette chaîne, était suspendu un portrait du roi doté d'une monture d'or et de diamants [48]. » En 1794, le roi, qui avait accordé une pension au général et patriote corse Pascal Paoli, lui offrit aussi « une chaîne en or avec un portrait [de lui] doté d'une monture de diamants, à porter en public en toute occasion [49] ». Un filleul, James de Courtown, troisième comte du nom, reçut, peut-être à l'occasion de son mariage en 1791, un médaillon renfermant un portrait en miniature du roi et comportant au revers un verre bleu parsemé d'étoiles et orné de diamants formant un monogramme couronné – le monogramme GR –, destiné à être suspendu à côté d'un cachet à une châtelaine se portant à la taille. Un autre exemplaire fut donné à lord et lady Harcourt [214, 215]. D'autres portent le nom du roi, renferment des boucles de ses cheveux et sont ornés de symboles tels que saint Georges et le dragon [50].

Un ensemble de miniatures évoque les liaisons amoureuses des enfants de la famille royale. Le prince de Galles qui, jeune homme, enchaînait les histoires d'amour, avait l'habitude de déclarer sa flamme à l'élue du moment en lui offrant son portrait en miniature [216, 217]. En 1792, une certaine Miss Lloyd écrivit à lady Spencer : « [Madame

212 *ci-contre* Portrait de la reine Charlotte (1744–1818) attribué à Johann Zoffany, 1771. La reine porte un bracelet comportant un portrait en miniature de George III, son époux, offert par lui pour leurs fiançailles.

213 *ci-contre* Montre en or au boîtier ciselé et émaillé d'un double portrait en miniature représentant, en costume Van Dyck, George (1762–1830), prince de Galles, et son frère, Frédéric (1763–1827), duc d'York. Miniature d'après Johann Zoffany. Miniature et boîtier de G. M. Moser (1707–1783) pour A. Heckhel, Vienne, v. 1765–1767. DIAM. 58 mm.

Fitzherbert] porte maintenant, accroché sur son sein, le portrait du prince de Galles, ce que, encore récemment, elle n'avait jamais fait. Les diamants qui l'entourent sont de toute beauté et plus gros que ceux du portrait du duc d'York que porte la duchesse [51]. » Sans cesse à la recherche de nouveautés, les deux amants s'offrirent l'un à l'autre un médaillon, l'un octogonal et l'autre ovale, commandé à Richard Cosway – respectivement en 1785 et 1786. Chacun de ces médaillons comportait une miniature représentant l'œil droit de l'être aimé [52]. En 1799, après s'être disputé puis réconcilié avec elle, le prince de Galles offrit à Madame Fitzherbert une nouvelle miniature insérée cette fois dans un médaillon en or suspendu à un bracelet sur lequel était inscrit REJOINDRE OU MOURIR. Un portrait en miniature de la sœur du prince – la princesse Augusta –, logé dans son médaillon d'origine, dénote des sentiments plus tendres et plus romantiques. Sur l'avers, le chiffre A(ugusta) S(pencer) est encadré de lacs d'amour ; au revers est inscrite l'année, 1799.

Les portraits en miniature montés en bagues pouvaient, de même que les camées et les intailles, véhiculer des messages politiques. Si ceux qui soutenaient l'ordre établi exhibaient des portraits des rois de la maison de Hanovre, ceux opposés au régime montraient leur admiration pour l'agitateur politique John Wilkes en portant des bagues où était inséré son portrait en miniature et sur lesquelles était parfois inscrit : AMITIÉ DÉSINTÉRESSÉE [53]. Les jacobites, qui défendaient la cause des Stuart, portaient des portraits en miniature de Charles Ier, d'Henriette-Marie et du Vieux Prétendant, Jacques III, montés en bagues ou en pendentifs, encadrés de rinceaux d'acanthe, sommés de la couronne royale et rehaussés de pierreries [54]. À partir du milieu du siècle, le portrait du fils de Jacques III, le prince Charles-Édouard – le Jeune Prétendant – domina l'iconographie jacobite. Les miniatures les plus petites étaient montées en épingles de fichu ou de col tandis que les plus grandes pouvaient être entourées de diamants et sommées d'un nœud à boucles ou associées à des roses blanches

214, 215 *ci-contre* Deux vues d'une châtelaine à laquelle sont accrochés une clé, un cachet, des glands, diverses breloques et un médaillon. Celui-ci renferme un portrait en miniature de George III exécuté d'après Thomas Gainsborough. Au revers, le chiffre royal se détache sur un fond bleu parsemé d'éclats de diamant et entouré d'autres diamants. Miniature et monture anglaises, v. 1781. Médaillon : 51 x 39 mm.

216, 217 Avers et revers d'un médaillon en or comportant un portrait en miniature du prince de Galles, George. Le revers porte son chiffre, couronné et réalisé avec des semences de perle, qui se détache sur un fond tapissé avec des cheveux du prince. Miniature de Richard Cosway (1742–1821), v. 1786 ; monture de même époque. H. 50 mm. Le prince offrit ce médaillon à Madame Fitzherbert.

et/ou des chardons – symboles jacobites. Une des pièces les plus importantes parvenues jusqu'à nous est un médaillon monté en bague faisant partie de la collection du duc de Buccleuch. Il renferme une miniature représentant le prince Charles en armure, et son couvercle est serti d'un camée en turquoise représentant la couronne royale. Sur les côtés du chaton et sur l'anneau, on peut lire deux inscriptions, l'une faisant allusion au mariage du prince avec la princesse Louise de Stolberg et l'autre à son droit au trône d'Angleterre : QUICONQUE LE VOUDRAIT RÉCLAMER, IL EST À VOUS et RD AD NUPTIAS 1772. On ne connaît pas l'identité du donateur (RD) [55]. Mais si une bague, en raison de ses faibles dimensions, était facile à dissimuler, un milieu de bracelet l'était moins. Souhaitant éviter tout désagrément, la princesse de Talmont, une ardente jacobite et catholique française, avait logé le portrait du prince Charles-Édouard dans un milieu de bracelet tournant, portant de l'autre côté une image du Christ. Lorsqu'on lui demanda le lien entre les deux portraits, une amie à l'esprit vif cita l'Évangile : « Mon royaume n'est pas de ce monde [56]. »

218 Portrait en miniature, monté en pendentif, de James Drummond (1713–1746), troisième duc de Perth. Le portrait, entouré d'une couronne de laurier en or, a été placé à l'intérieur d'un cadre émaillé bleu foncé, rehaussé de branches de laurier en diamants et sommé du chiffre du duc, P, également en diamants. Blessé à Culloden, le duc mourut à bord du bateau qui l'avait secouru. Portrait en miniature de Jean-André Rouquet (1701–1758), v. 1740. H. 45 mm.

Qu'elle ait été émaillée, peinte sur vélin ou sur ivoire, montée en bague, en médaillon, en montre [57], en pendentif, en milieu de bracelet ou autre, la miniature pouvait être protégée par une lame de cristal et entourée d'un cadre émaillé [218] – vert, blanc, bleu roi – ou d'un cadre enrichi de diamants, de perles et de pierres de couleur, tant précieuses que semi-précieuses. Sur certaines montures, on trouvait des fleurs émaillées dont les couleurs se mêlaient aux feux de minuscules diamants qui en constituaient le cœur. Des messages comme PENSE À TON PÈRE ET CONTEMPLE SON PORTRAIT [58] accompagnaient les miniatures portées en mémoire d'amis ou de proches décédés. Le rang de la personne représentée était indiqué par une couronne [219] et des armoiries au revers [221]. Des cheveux, qu'un chiffre permettait d'identifier, étaient soit logés avec la miniature sous la vitre la protégeant, soit, dans le cas des bracelets, tressés en ruban. Dans *Le Paresseux* (1759), Samuel Johnson remit en question la mode consistant pour les épouses à porter le portrait de leur époux au poignet, car « si la variété est le sel de la vie, est-ce dans l'intérêt de l'époux de vouloir une place sur le bracelet ? L'amour le plus tendre a besoin d'être ravivé par l'absence, et la fidélité en personne se lassera de toujours ne poser ses yeux que sur le même homme et la même image ». S'étant rendue à Londres, Sophie von La Roche se fit l'écho d'une innovation : une femme de très bon goût, l'épouse de Warren Hastings, avait en effet exprimé son intention de « lancer une nouvelle mode en insérant les portraits en miniature des hommes dans les boucles des ceintures [59] ».

Vers 1777, quelques gentilshommes soucieux de la mode se mirent à porter deux montres à la fois, la seconde étant une fausse montre puisque, à la place du cadran censé indiquer l'heure, figurait une boussole, un baromètre ou une miniature [222, 223]. En 1791, la maison Rundell, Bridge & Rundell envoya un choix de montures à Thomas Eccleston, un gentilhomme du Lancashire : « Nous avons esquissé, de l'autre côté, différentes manières d'entourer de brillants votre portrait dans une fausse montre. Dans le dessin n°1, nous avons un cercle de gros brillants sans monture apparente avec, de part et d'autre des diamants, une bordure émaillée bleu et blanc – 120 £ ; dans le dessin n°2, un cercle de brillants plus petits, peut être assorti ou non de bordures émaillées – 90 £ – ou de diamants plus petits – 35 ou 40 guinées. Nous ornons habituellement le revers de la fausse montre d'une composition de couleur bleue avec, au centre, un médaillon comportant une tresse ou une mèche de cheveux et parfois, sur celle-ci, un chiffre en diamants [60]. »

À partir des années 1770, on eut le choix entre le traditionnel portrait en miniature et la simple silhouette qui, à la mode et d'un moindre coût, connut un vif succès. On pouvait confier à des

219 Portrait en miniature, monté en pendentif, de la comtesse de Coventry (1733–1760), l'une des plus belles femmes de sa génération. Le portrait est bordé de rubis et sommé d'une couronne de comtesse sertie d'émeraudes et de diamants. Le nom et le titre de la comtesse sont inscrits au revers. Miniature de Penelope Carwardine (1730–1801) d'après Quentin de La Tour, 1757 ; monture de même époque. 44 x 36 mm.

220, 221 Avers et revers d'un pendentif comportant un portrait en miniature du général Henry Seymour-Conway (1719–1795), entouré d'une bordure à décor floral émaillé sommée d'un nœud à boucles. Au revers sont représentées les armes de la famille Seymour-Conway à l'intérieur d'un cartouche de style rocaille. Miniature de Christian Friedrich Zincke (1683–1767), v. 1750 ; monture anglaise de même époque. 46 x 37 mm.

222, 223 Avers et revers d'une fausse montre en or comportant un portrait en miniature d'une lady vêtue de blanc. Ce portrait est entouré d'une bordure à décor de gousses et de rosettes émaillé vert et blanc. Au revers, quelques cheveux de la femme ont été glissés sous une vitre de verre. Miniature d'Abraham Daniel (v. 1760–1806), v. 1780 ; monture anglaise de même époque. H. 50 mm.

224, 225 *ci-dessous et à droite*
Deux fermoirs de bracelet en or gravé de motifs très fins comportant chacun un portrait en silhouette : celui du quatrième duc d'Atholl (1755–1830) et celui de son épouse († 1790). Portraits en silhouette de John Miers (1758–1821), v. 1780–1790 ; montures de même époque.

professionnels mais aussi à des amis ou des proches la réalisation de ces portraits découpés dans du papier noir. John Miers, qui excellait dans ce type de portrait, avait de nombreux clients, y compris le quatrième duc d'Atholl [224, 225]. Ces profils entièrement noirs mais bien individualisés, qui se détachaient sur un fond d'ivoire et étaient protégés par une lame de verre ou de cristal, étaient enchâssés dans d'austères montures circulaires ou ovales, dont les bordures en or, ornée de fines gemmes, étaient parfois rehaussées de perles ou de gemmes. Comme dans le cas des miniatures, il pouvait y avoir, au revers de la monture, une boucle de cheveux et un chiffre. Ces portraits étaient aussi montés en bagues, médaillons, épingles de fichu, milieux ou fermoirs de bracelet.

Dans le reste de l'Europe, la part revenant aux portraits en miniature dans les bijoux était tout aussi importante qu'en France ou en Angleterre. Dans l'inventaire de 1743 des biens de l'électrice palatine Anne-Marie-Louise de Médicis, originaire de Florence, sont répertoriés des portraits émaillés et peints de nombreux parents de la princesse, montés en milieux de bracelet individuellement ou par deux et entourés de diamants. Au nombre de ceux-ci figure une miniature représentant feu son époux, Jean-Guillaume, coiffé de son bonnet d'électeur. Cette miniature était montée en médaillon et entourée de « onze gros diamants à facettes et onze plus petits de différentes dimensions [61] ». Dans un portrait peint par Anton Raphaël Mengs, l'infante Marie-Joséphine, fille de Charles III et de la reine d'Espagne Marie-Amélie, porte au poignet un portrait en miniature de sa mère et montre de l'autre main un portrait en miniature de son père [226]. Les portraits de six membres de la maison de Bourbon-Sicile, à savoir ceux de Ferdinand IV et de son épouse, Marie-Caroline, et ceux de leurs quatre enfants, sont insérés dans une boîte ornée de marcassite, sur laquelle est inscrit : NOS PENSÉES

226 *ci-contre* Portrait de l'infante Marie-Joséphine de Bourbon (1744–1801) par Anton Raphaël Mengs, après 1768. Le bracelet de perles qu'elle porte au poignet comporte un portrait en miniature de sa mère, la reine Marie-Amélie. Elle montre de l'autre main un autre bracelet qui, faisant pendant au premier, comporte un portrait en miniature de son père, Charles III.

227 *ci-contre* Portrait en miniature, monté en pendentif, de l'électeur de Saxe Frédéric-Auguste II (1696–1753). Le portrait – que ce dernier offrit à son épouse, l'archiduchesse Marie-Josèphe d'Autriche – est entouré de branches de laurier en diamant et émail, attachées par des rubans sertis de diamants tout comme la couronne surmontant l'ensemble. Miniature de Georg Friedrich Dinglinger (1668–1728), 1719 ; monture due à l'atelier de Dinglinger ; nœud à boucles et couronne, v. 1740–1750. 76 x 38 mm.

SONT À VOUS [62]. L'infante Marie-Isabelle, la fille du roi Charles IV et de la reine Marie-Louise qui épousa en 1802 le futur François Ier des Deux-Siciles, offrit à sa mère son portrait en miniature, assorti de l'inscription suivante : « Cette image que vous voyez représentée sur ce petit morceau d'ivoire, Mère, est la mienne : regardez-moi dedans. Portez-moi tout contre votre cœur [63]. » Aussi bonne mère ait-elle pu être, la reine n'était pas une épouse fidèle, et un de ses anciens amants montra à lady Holland ce dont il avait été honoré, notamment « une bague avec des ressorts secrets et des images érotiques, [...], qu'il n'était pas question d'examiner [64] ». Ces miniatures à secret plaisaient aussi à l'aventurier vénitien Giacomo Casanova : en 1753–1754, il fit dissimuler son portrait, pour deux de ses conquêtes, sous des images pieuses. Ainsi, l'Annonciation fut-elle représentée sur un médaillon offert à la sœur MM ; et une sainte Catherine dans une bague destinée à CC, qu'il décrivit ainsi : « Dans le chaton, on ne pouvait voir que la sainte, mais un point bleu quasiment imperceptible sur l'émail blanc qui l'entourait activait, lorsqu'on appuyait dessus avec une épingle, un ressort qui faisait apparaître mon portrait [65]. »

Si le joaillier vénitien ayant fabriqué ces gages d'amour est resté anonyme, le nom de Georg Friedrich Dinglinger, orfèvre à la cour de Saxe, est célèbre, et ce, à juste titre. C'est avec un immense talent qu'il émailla et mit en valeur, en l'agrémentant d'une magnifique monture en diamants, le portrait en miniature que Frédéric-Auguste II allait offrir en 1719 à celle qu'il épousait, Marie-Josèphe, fille de l'empereur d'Autriche Joseph Ier [227].

Les splendeurs de Dresde furent éclipsées par celles de Saint-Pétersbourg. Pierre Ier, dit Pierre le Grand, qui fut le premier à adopter la coutume occidentale consistant à offrir son portrait en miniature, fut suivi en cela par ses descendants, notamment par sa fille Anna et l'impératrice Catherine II [66]. Recevoir un portrait en miniature, en pierre dure ou en médaille, de l'impératrice Catherine II était une marque de très haute estime, quelles que fussent les dimensions de ce portrait et son support (une bague, une épingle [228], un fermoir de bracelet ou un médaillon) : le récipiendaire le portait avec ostentation et le montrait à tout le monde [229]. En plaisantant, l'impératrice déclara un jour à un de ses visiteurs préférés, le prince de Ligne : « Comme vous m'avez dit que, si je vous donnais des diamants, vous les vendriez, les joueriez ou les perdriez, voici mon portrait inséré dans une bague qui ne vaut pas plus d'une centaine de roubles. »

Retirer les diamants entourant un portrait reçu en cadeau était une coutume établie. La princesse Daschkoff raconta dans ses mémoires qu'elle était impatiente d'ôter les diamants dont était agrémenté le portrait que le roi de Suède Gustave III lui avait donné en 1783, l'idée étant de les remplacer par de petites perles et d'offrir les diamants à sa nièce [67]. Une fois les diamants retirés, certaines familles gardaient en mémoire leur provenance royale. C'est pourquoi le comte d'Hardwicke stipula dans son testament, en 1873, que les pierres qui avaient été réemployées dans des bijoux à la mode mais provenaient des tabatières, bagues et médaillons lui ayant été donnés par la reine Victoria et les empereurs de Russie et de Prusse devaient rester dans la famille [68].

228 Épingle agrémentée d'un portrait ovale en miniature de l'impératrice de Russie Catherine II, entouré de brillants et protégé par une lame de cristal de roche. Miniature et monture, Saint-Pétersbourg, fin du XVIIIe siècle. 23 x 17 mm.

229 Portrait de la comtesse Alexandra Branicka (1754–1838), fille naturelle et dame d'honneur de l'impératrice de Russie Catherine II, dite Catherine la Grande. Dans ce tableau peint par Richard Brompton en 1781, elle porte un insigne composé d'un portrait en miniature de l'impératrice, monté en bijou et sommé de la couronne impériale.

4 *Fierté dynastique et liens d'affection de Napoléon à la Première Guerre mondiale,* 1800–1916

Les mémoires et autres œuvres littéraires de cette époque montrent que le petit portrait agrémenté de pierreries conserva une place importante, tant dans la sphère publique que dans la sphère privée, au cours de la première moitié du XIXe siècle. À partir de 1900 cependant, malgré l'enthousiasme soulevé par la photographie (qui n'allait pas tarder à éclipser l'art de la miniature), il y eut moins de portraits de monarque en circulation et, en cette époque plus prosaïque, les bijoux à caractère sentimental furent moins demandés. Les montures des portraits qui nous sont parvenus de cette époque reflètent, comme celles des périodes antérieures, l'évolution des modes dans l'art de la joaillerie.

230 *ci-contre* Portrait de la première épouse de l'empereur Napoléon, l'impératrice Joséphine (détail). Dans ce portrait peint par Andrea Appiani (voir ill. 231), l'impératrice arbore deux portraits en camée de Napoléon. L'un, au centre de la ceinture de sa robe, le représente encore jeune homme, tandis que l'autre, situé au centre de son diadème et flanqué de victoires ailées tenant chacune une couronne, le figure en empereur.

Les camées et les intailles

Napoléon aimait à se présenter comme l'héritier d'Alexandre le Grand et de l'empereur Auguste. Suivant leur exemple, il associa étroitement son portrait en camée ou en intaille au régime instauré, permettant ainsi à l'art de la gravure sur gemmes de fleurir une dernière fois à Rome. Les plus grands artistes de cette ville – Nicola Morelli, Giuseppe Girometti, Gaspare Capparoni, Giuseppe Cerbara et Luigi Pichler – le représentèrent au cours des différentes phases de son étonnante carrière : en jeune et fougueux consul, en général héroïque et victorieux et, enfin, en empereur tout-puissant. Napoléon offrit ces portraits en pierre dure, montés sur divers bijoux et objets, aux membres de sa famille, aux maréchaux de son armée, à ses partisans les plus proches et à certains diplomates étrangers. Il donna ainsi à François-Regnault Nitot, son joaillier, une boîte avec un portrait le représentant lauré à la manière d'un empereur romain. À ce portrait fut par la suite ajouté un des emblèmes de Napoléon : l'aigle impérial tenant le foudre entre ses serres [232]. Son secrétaire, le duc de Bassano, utilisait un sceau à son effigie appliqué à l'extrémité d'un manche en jaspe. Conformément au goût classique, la plupart des portraits en pierre dure avaient une monture en or, soulignée par un filet d'émail bleu roi et ornée des emblèmes de l'empereur – l'étoile, l'abeille et l'aigle tenant le foudre. C'est un portrait en buste de Napoléon monté de cette façon au centre d'un diadème rehaussé de pierreries que sa mère, Madame Letizia Bonaparte, porte dans un portrait peint par François Gérard [1].

Napoléon encouragea sa première épouse, l'impératrice Joséphine, à passer commande chez les graveurs sur gemmes de l'époque et, comme celle-ci avait fort bon goût, elle dicta la mode dans le domaine du camée monté en bijou. Dans le portrait peint par Andrea Appiani en 1807 [230, 231], dans lequel elle apparaît en reine d'Italie, elle porte un diadème agrémenté de perles et de rubis au centre duquel figure un portrait lauré de Napoléon, sous la forme d'un camée flanqué de victoires ailées. Un autre camée, dans lequel Napoléon encore jeune homme apparaît tête nue, a été inséré dans la ceinture soulignant la taille haute de sa robe. Dans un dessin de J.-B. Wicar, Joachim Murat (marié à une sœur de Napoléon, Caroline) est vêtu d'un manteau à l'antique, fermé par un portrait en camée de l'empereur [2]. Les camées les plus remarquables sont habillés, c'est-à-dire enrichis de diamants, sertis sur le manteau couvrant les épaules de Napoléon et sur la couronne de laurier qu'il porte sur la tête. Un portrait ainsi enrichi fut monté en bague pour la princesse de la Moskova, l'épouse du maréchal Ney ; un autre fut monté en médaillon et envoyé à un admirateur écossais, William Fraser, qui faisait parvenir à Napoléon depuis les Indes des livres et des produits fins afin d'alléger son exil à Sainte-Hélène [233, 234].

Un portrait en camée de Joséphine, dû à Teresa Talani et offert à l'épouse du général Bertrand – un des plus fidèles amis de Napoléon –, a simplement une monture en or soulignée d'émail bleu [3]. En revanche, le décor de feuilles et de baies de laurier, composé d'émail et de perles, qui encadre un camée représentant Joséphine en buste, monté en pendentif, indique

231 *ci-contre* Portrait de l'impératrice Joséphine (1763–1814) en reine d'Italie. Dans ce portrait peint par Andrea Appiani en 1807, elle porte une parure constituée de diamants, de rubis, de perles et de camées, un camée de Napoléon étant situé au milieu de la ceinture de sa robe et un autre au milieu de son diadème (détail : ill. 230).

233, 234 *ci-contre* Avers et revers d'un pendentif en or serti d'un camée en onyx représentant l'empereur Napoléon. Ce camée a été agrémenté de diamants – qui forment la couronne de laurier et le haut du manteau – mais aussi d'abeilles symboliques et du chiffre N en or. Au revers, un aigle en or ciselé tenant le foudre dans ses serres se détache sur un fond de lapis-lazuli. Camée de Nicola Morelli (1771–1831), Rome, v. 1804–1814 ; monture de même époque, probablement romaine. 40 x 32 mm. Ce pendentif fut envoyé aux Indes à William Fraser par l'empereur en exil.

232 Boîte en écaille de tortue ornée d'un camée en agate livrant un portrait lauré de l'empereur Napoléon Ier (1769–1821). Ce portrait, encadré de branches de chêne et de laurier, a été ultérieurement sommé de l'aigle tenant le foudre entre ses serres, un des emblèmes de Napoléon. La boîte, offerte par l'empereur au joaillier de la couronne, François-Regnault Nitot, porte le poinçon de l'orfèvre Pierre-André Montauban (actif 1800–1825), v. 1810. 77 x 47 mm.

clairement son statut d'impératrice [235]. Un autre camée, réalisé par Giovanni Beltrami de Crémone et entouré d'un fil d'or agrémenté de perles, porte au revers une inscription rendant hommage au rôle joué par Joséphine en tant que mécène [4].

Le fils de Joséphine, Eugène de Beauharnais, alors vice-roi d'Italie, commanda au même graveur des portraits de lui-même et de son épouse, Augusta-Amélie, pour les offrir à sa mère et pour des cadeaux officiels [5]. Un camée octogonal en saphir fait allusion aux talents de musicienne de sa sœur, la reine Hortense de Hollande, car elle y est représentée en train de jouer de la lyre. Le fils de la reine Hortense, Napoléon III, hérita de ce camée et le fit monter sur un couvercle de médaillon, agrémenté de diamants et de perles. Il l'offrit à son épouse, l'impératrice Eugénie [237]. Ce fut le seul bijou que cette dernière emporta lorsqu'elle dut fuir Paris après la chute du Second Empire en 1870. À son arrivée en Angleterre, elle l'offrit en signe de reconnaissance à lady Burgoyne, dans le voilier de laquelle elle avait traversé la Manche.

Il existe des portraits en camée du beau-frère de Napoléon, Joachim Murat [6], et Julie Bonaparte porte, dans la statue en terre cuite due à Joseph Chinard, un diadème au centre duquel figure un buste en camée de son époux, Joseph, frère de Napoléon et roi d'Espagne, flanqué des bustes en camée de leurs enfants [238]. Le cardinal Fesch commanda à Nicola Morelli pour Madame Letizia Bonaparte, sa demi-sœur, une parure composée d'un collier et de boucles d'oreille. Les médaillons du collier, reliés par plusieurs chaînes, furent sertis de camées figurant l'époux et les enfants de Letizia Bonaparte, avec Napoléon au centre. Cette parure, mentionnée en 1807 par Giovanni Antonio Guattani dans *Memorie enciclopediche romane*, a disparu [7]. Le thème de la famille impériale se trouve cependant aujourd'hui encore illustré, à plus petite échelle, par une chaîne en or ponctuée de portraits en camée de Napoléon et de ses frères et sœurs, également exécutés par Morelli [8].

235 Pendentif composé d'un camée en onyx représentant l'impératrice Joséphine. Celle-ci porte un diadème bordé de perles. Le camée est entouré de feuilles de laurier émaillées et de baies de laurier formées par des perles, le tout étant lié par des rubans. Camée romain ; monture probablement française, v. 1800. 46 x 28 mm.

236 Cette gravure, d'après un portrait de Jean-Baptiste Isabey, représente Hortense de Beauharnais (1783–1837), reine de Hollande, en train de jouer de la lyre. Elle servit de modèle pour le camée en saphir que son fils, Napoléon III, fit par la suite monter sur le couvercle d'un médaillon qu'il offrit à son épouse, l'impératrice Eugénie *(à droite)*.

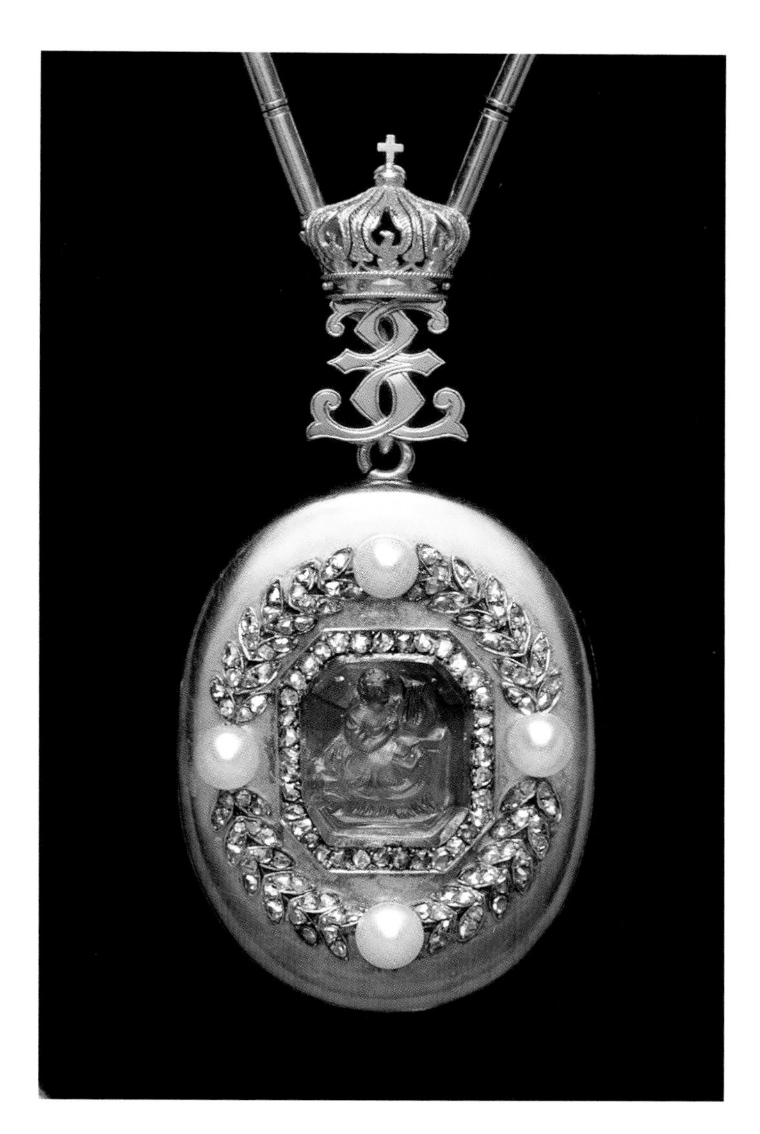

237 Médaillon en or au couvercle serti d'un camée octogonal en saphir représentant la reine Hortense de Hollande en train de jouer de la lyre. Le camée, encadré de diamants, est en outre entouré d'une couronne de laurier constituée de diamants et de perles. Le médaillon fut créé pour l'impératrice Eugénie. Camée italien, v. 1808 ; monture française, v. 1860. 15 x 13 mm.

238 *ci-contre* Buste en terre cuite de Julie Bonaparte (1771–1845) – l'épouse du roi d'Espagne, Joseph Bonaparte –, par Joseph Chinard. Julie Bonaparte, qui posa pour le sculpteur à Lyon en 1808, porte un diadème composé des portraits en camée de son époux et de leurs filles, Zénaïde et Charlotte.

Jean-Henri Simon, qui avait gravé les portraits de Marat et de Le Peletier de Saint-Fargeau – deux grandes figures de la Révolution française –, travailla ensuite pour Napoléon pendant tout son règne, exécutant des portraits de lui et de sa famille, essentiellement pour des tabatières et des bagues. Son fils, Jean-Marie-Amable-Henri Simon, poursuivit la tradition familiale en gravant des portraits des Bourbons et de la famille de Louis-Philippe sous la Restauration et la Monarchie de Juillet, mais ces intailles n'eurent droit qu'à une simple monture en or uni [9].

Suivant l'exemple de son oncle, Napoléon III commanda des portraits de lui-même en camée, plus dans le but de les exposer que de les faire monter en bijoux. Une personne proche de la famille porta néanmoins une petite broche ornée des portraits en regard de Napoléon III et de l'impératrice Eugénie [10]. Sous le Second Empire, des membres de la noblesse, comme la duchesse de Cambacérès, réaffirmèrent leur proximité avec la famille Bonaparte en portant des portraits en camée de Napoléon Ier, dotés de montures contemporaines.

Le modèle établi par Napoléon pour les camées le représentant en empereur fut adopté par l'empereur du Saint-Empire François II, père de l'impératrice Marie-Louise. Après avoir travaillé pour Eugène de Beauharnais, Giovanni Beltrami fit le portrait de l'empereur à un âge avancé, le représentant lauré et drapé à la manière d'un empereur romain [239, 240]. Sa veuve, l'impératrice Caroline-Auguste, le fit monter en pendentif en souvenir de lui. La devise de l'empereur, IUSTITIA REGNORUM FUNDAMENTUM (« Les empires reposent sur la justice »), entoure le camée. À la base du cadre sur lequel elle est inscrite figure une croix noire, flanquée d'un rameau d'olivier et d'un rameau de saule pleureur. Le cadre est bordé de rinceaux en or et sommé de la couronne impériale autrichienne. On peut lire au revers de ce cadre une inscription dénotant la conviction qu'avait l'empereur d'être un souverain de droit divin : MEINE LIEBE VERMACHE ICH MEINEN UNTERTHANEN. ICH HOFFE DASS ICH FÜR SIE BEY GOTT

WERDE BETEN KÖNNEN. TEST. 14§1. MÄRZ. 1835 (« Je lègue mon amour à mes sujets. J'espère pouvoir prier pour eux auprès de Dieu. 1er mars 1835 »). Sur le bord extérieur du cadre, sa veuve a ajouté : IHRE MAJESTÄT DIE KAISERINN CAROLINA AUGUSTA LIESS DIESES BILDNISS IHRES UNSTERBLICHEN GEMAHLS FÜR DAS K. K. MÜNZ UND ANTIKEN-KABINET ARBEITEN UND ÜBERGAB ES DEN 14. APR. 1840 (« Sa Majesté l'impératrice Caroline-Auguste fit monter ce portrait de son immortel époux pour le cabinet impérial et royal des Monnaies et Antiquités et le lui remit le 14 avril 1840 »).

Depuis la reine Élisabeth Ire, aucun monarque anglais n'avait fait aussi grand cas des portraits de lui-même que George IV, d'abord prince de Galles puis régent et enfin roi à partir de 1821. Les années de lutte contre la France de Napoléon qui s'étaient soldées par la victoire de Waterloo en 1815 avaient renforcé le patriotisme et – celui-ci s'étant cristallisé sur la personne du souverain – le prince régent avait saisi l'occasion pour commander des camées le représentant la plupart du temps lauré tel un empereur romain. Certains furent exécutés par le graveur romain Benedetto Pistrucci qui, arrivé à Londres en 1814, allait être nommé premier médailleur à la Monnaie royale [11]. Les intailles étaient généralement montées sur des cachets dépourvus d'ornements, à la manière antique, bien que quelques-uns aient été abondamment ciselés. Les portraits royaux en camée ou intaille étaient entourés [12] et sommés de diamants ou encadrés de motifs patriotiques – une couronne de laurier et de chêne – ou encore associés, sur des bracelets ou des broches, à la devise de l'ordre de la Jarretière, HONI SOIT QUI MAL Y PENSE, inscrite sur un fond bleu foncé. Les bagues distribuées en 1821 à l'occasion du couronnement [241] portaient généralement au revers l'inscription suivante : GEORGIUS IV DEI GRATIA BRIT REX MDCCCXXI. Mais il y eut aussi des bagues composées d'un portrait en camée du roi et d'un large anneau sur lequel figurait l'inscription VIVE LE ROI [242, 243]. Une monture des plus prestigieuses, évoquant les trois royaumes d'Angleterre, d'Écosse et d'Irlande,

239, 240 Avers et revers d'un pendentif souvenir en or, composé d'un camée en onyx représentant l'empereur du Saint-Empire François II. Le camée est entouré de la devise de l'empereur et sommé de la couronne impériale autrichienne. Au bas de la monture figure une croix, flanquée d'un rameau d'olivier et d'un rameau de saule pleureur. Au revers du camée sont gravées les initiales ainsi que les dates de naissance et de décès de l'empereur : 12 février 1768 – 2 mars 1835. Au revers du cadre a été inscrit un message de l'empereur datant de la veille de sa mort. Sur le pourtour figure une inscription rédigée par sa veuve, l'impératrice Caroline-Auguste. Camée de Giovanni Beltrami (1777–1854) ; monture de Joseph Damhart, Vienne, 1840.
105 x 70 mm.

241 *ci-dessous* Bague en or composée d'un camée en onyx représentant George IV (1762–1830), roi de Grande-Bretagne et d'Irlande, lauré à la manière d'un empereur romain. Le roi offrit cette bague en 1821, à l'occasion de son couronnement, à son frère, le duc de Cumberland. Camée de Benedetto Pistrucci (1783–1855) (?) ; monture de la maison londonienne Rundell, Bridge & Rundell, 1821.

242, 243 *à droite* Deux vues d'une bague en or sertie d'un camée en onyx représentant George IV. L'anneau est subdivisé en neuf sections portant chacune une des lettres en émail bleu formant l'inscription VIVE LE ROI. Cette bague figure au nombre de celles qui furent distribuées à l'occasion du couronnement du roi, en 1821. George IV offrit celle-ci au sixième duc de Devonshire. Bague de la maison Rundell, Bridge & Rundell, 1821.

était composée d'un « très beau camée en sardonyx d'une grandeur remarquable, représentant en buste Sa Majesté le Roi avec une colombe, les figures de Britannia et de Neptune sur l'avers et, au revers, Aurore avec ses chevaux et son char ainsi que le signe astrologique du lion, entouré de laurier [...]. Ce camée de la plus belle facture [s'accompagnait de] très gros brillants de toute beauté et de compartiments en or richement ciselés, sertis de rubis, de brillants, de saphirs, d'émeraudes etc., qui form[ai]ent des roses, des chardons et des harpes avec, en outre, des brillants sur le bord [13] ». L'ensemble coûta 1 336 £.

Un portrait dynastique des quatre rois de Grande-Bretagne et d'Irlande – George I, II, III et IV – se présentant sous la forme d'un camée en onyx monté sur « une tabatière, très élégante et richement ciselée, agrémentée [...] d'une couronne et d'ornements en brillants » fut livré par la maison Rundell, Bridge & Rundell le 21 octobre 1821, probablement pour que George IV en fît cadeau à un de ses frères ou sœurs [14]. Des portraits de ceux-ci en camée ou intaille furent aussi réalisés, parfois à titre posthume, tel celui du duc d'York en buste, monté en broche et entouré d'un symbole d'immortalité, un serpent en émail noir ponctué de diamants [244]. Citons, comme autre bijou mémoriel composé d'un portrait royal en pierre dure, le bracelet dont le fermoir à décor de graineti et cannetille porte un camée représentant à la manière antique la princesse Charlotte, fille de George IV [245].

Au cours de son long règne, la reine Victoria fit diffuser son portrait sous de nombreuses formes. Le camée était cependant sa déclinaison la plus rare, ce qui atteste du déclin que connut alors l'art de la gravure sur pierres dures : même le grand Benedetto Pistrucci, qui exécuta en camée le portrait du prince Albert à l'occasion de son mariage avec la reine en 1840 [15], se plaignit vers la fin de sa vie d'un manque de commandes. Composée d'un camée et d'une monture en or émaillé, une pièce exceptionnelle [246] – semblable à un *commesso* de la Renaissance – fut présentée à l'Exposition universelle de 1851

244 Broche souvenir en or, sertie d'un camée en onyx représentant en buste Frédéric, duc d'York (1763–1827). Celui-ci est entouré d'un serpent se mordant la queue, émaillé noir et parsemé de diamants. Camée et monture, 1827. 55 x 44 mm.

par le joaillier parisien Félix Dafrique : le camée, exécuté par Paul Lebas d'après un portrait de la reine dû à Thomas Sully, a une bordure à roses blanches et rouges représentant les maisons d'York et de Lancastre, unies par les ancêtres Tudor de Victoria. D'autres camées furent insérés dans les insignes des deux ordres fondés par la reine. Le premier, l'ordre royal de Victoria et d'Albert, avait pour objectif de perpétuer le souvenir du prince Albert, l'époux de la reine, mort l'année précédente : l'insigne se compose donc de leurs deux profils représentés côte à côte, entourés de diamants et sommés d'une couronne [247]. Le second, l'ordre de l'Étoile des Indes, fut institué en 1861 pour récompenser les dirigeants indiens et tous ceux qui étaient restés aux côtés de la couronne britannique pendant la « mutinerie » indienne de 1857 [248] : dans le portrait en camée de cet insigne, Victoria porte la même « couronne gothique » que dans la pièce de monnaie de William Wyon de 1857 ; le camée est entouré de diamants formant l'inscription HEAVEN'S LIGHT OUR GUIDE (« La lumière des cieux, notre guide ») ; il est en outre sommé d'une étoile à cinq branches sertie de diamants. Cette monture fut probablement réalisée par la maison Garrard, fournisseur officiel de la couronne [16].

Mais l'art du camée n'était nullement un monopole royal. Tout comme au XVIIIe siècle, des particuliers faisaient exécuter, à titre privé, leurs portraits en camée. En visite chez la duchesse de Wellington en 1818, le jour de la Saint-Patrick, la romancière Maria Edgeworth y trouva un joaillier venu avec plusieurs bracelets, dont un avec un fermoir comportant un portrait en camée du duc, qui allait être modifié sur les conseils de la duchesse.

Le camée sur pierre dure ne tarda pas à être éclipsé par celui sur coquille. Ce matériau plus tendre permettait d'exécuter plus facilement des portraits ressemblants, et ce, à bien moindre coût. À Rome, une véritable industrie se développa : suivant l'exemple de Giovanni Dies et de Tommaso et Luigi Saulini, installés au 96 de la via del Babuino, de nombreux graveurs de portraits en camée

245 *ci-contre* Bracelet à mailles d'or, dont le fermoir à décor de graineti et cannetille – qui fait ici office de milieu de bracelet mais peut aussi être porté en broche – est serti d'un camée en onyx représentant la princesse Charlotte (1796–1817). Monture et camée anglais, v. 1820. Milieu de bracelet : 34 x 29 mm.

CARLOTTA GIORGII CÆS FIL AUGUSTA

246 Broche de type *commesso*, constituée d'un camée coquille représentant en buste la reine de Grande-Bretagne et d'Irlande Victoria (1819–1901). Elle porte un diadème royal, serti d'émeraudes et d'éclats de diamants, ainsi qu'une tenue officielle émaillée d'or. Ce portrait s'inspire de celui dans lequel Thomas Sully l'a représentée en train de gravir les marches du trône à la chambre des Lords. Dans la monture ont été réunies les roses rouges de la maison de Lancastre et les roses blanches de la maison d'York. Camée de Paul Lebas (actif 1851–1876), monté par Félix Dafrique (actif 1829–1870) pour l'Exposition universelle de 1851. H. 61 mm.

247 Insigne de l'ordre royal de Victoria et d'Albert, composé d'un camée en onyx représentant de profil la reine et son époux. Ce camée, entouré de diamants, est sommé d'une couronne émaillée, sertie de diamants, de rubis et d'émeraudes. Camée de Tommaso Saulini (1793–1864), Rome ; monture de la maison Garrard, Londres, années 1860. 85 x 44 mm.

248 Insigne en or de l'ordre de l'Étoile des Indes. Le camée en onyx, qui représente en buste la reine Victoria, est sommé d'une étoile et entouré de diamants formant une inscription. Camée réalisé d'après la pièce de monnaie de William Wyon de 1857, sur laquelle la reine est coiffée de la même couronne gothique ; monture de la maison Garrard (?). 215 x 165 mm.

répondirent à la demande de visiteurs toujours plus nombreux. Les camées sur coquille pouvaient être montés en médaillons et portés en pendentifs ou réunis dans un bracelet. Ils pouvaient aussi être émaillés mais étaient le plus souvent – comme le portrait sur pierre dure du septième duc de Beaufort [250] – de style néo-antique avec pour décor des fils cordés, des filigranes et des motifs perlés. Américains et Européens profitaient désormais d'un séjour à Rome pour commander des camées sur coquille [17]. À Paris en 1843, Madame William Bingham, épouse d'un banquier américain, commanda au joaillier Jules Fossin deux portraits « sertis dans un médaillon tournant, suspendu à une Sévigné en forme de grand nœud [18] ». Pour pouvoir répondre à la demande, des graveurs sur coquille s'étaient en outre établis à New York, et le sculpteur Augustus Saint-Gaudens débuta en 1861, à treize ans, comme apprenti auprès de l'un d'eux, Louis Avet. La plus ambitieuse de ses œuvres fut un ensemble de camées représentant Anna Watson Stuart, son époux banquier et leurs quatre enfants, destinés à être enchâssés dans des médaillons d'or entourés de semences de perles et montés en bracelet. Madame Watson porte ce bracelet dans un portrait peint par Daniel Huntington [249] [19].

Les souverains pontifes de l'Église romaine continuèrent, conformément à une longue tradition, à offrir leurs portraits montés en bijoux à de hauts dignitaires et aux serviteurs de l'Église les plus zélés. Les plus belles pièces étaient habillées de diamants, cet habillage étant une des spécialités du joaillier romain Capazzi. Ainsi, dans un modèle de bague tournante, la calotte et l'étole du pape Pie VII sont rehaussées de diamants, et le revers de la monture est orné d'un pavage de diamants avec pour motif une montagne, l'un des emblèmes de la famille du pape, les Chiaramonte [20]. Un pendentif double face est encore plus sophistiqué : le camée habillé représente le pape qui, de retour au Vatican après des années d'exil, rend grâce à la Vierge

249 *ci-contre* Portrait d'Anna Watson Stuart par Daniel Huntington, 1862 (détail). Elle porte ici un bracelet composé de camées sur coquille la représentant, ainsi que son époux et leurs quatre enfants. Ces camées, dus au jeune Augustus Saint-Gaudens (1848–1907), sont sertis sur des médaillons en or, entourés de semences de perles.

250 Pendentif en or de style néo-antique, serti d'un camée en onyx représentant le septième duc de Beaufort (1792–1853), « un excellent propriétaire », « aux traits vraiment modelés dans un noble moule » *(The Gentleman's Magazine)*. Camée de Luigi Saulini (1818–1883), v. 1860 ; monture de même époque. H. 99 mm.

des Douleurs [251, 252] ; sur le cadre est inscrit DOMINUM REFUGIUM MEUM ET LIBERATOR MEUS (« Le Seigneur est mon refuge et mon sauveur ») ; au revers, on distingue la croix papale, le mot PAX (« Paix »), la montagne de la famille Chiaramonte et trois petits camées représentant des têtes de nègre aux yeux bandés, un autre emblème de la famille. À Rome en 1818, la comtesse polonaise Potocka attira beaucoup l'attention en portant sur son corsage ce pendentif – ou un autre fort ressemblant [21]. Des années plus tard, en 1849, au moment de l'établissement d'une république à Rome, la princesse de Ligne, pieuse épouse d'un diplomate belge, reçut du pape Pie IX, qui avait été obligé de se réfugier au royaume de Naples et de Sicile, « un camée monté en or ». La princesse allait écrire plus tard que « cela [l'] avait vivement touchée [22] ». Les camées sur pierre dure et sur coquille de Pie IX et de Léon XIII ont des montures en or plus simples, les plus ambitieuses étant de style néo-antique [23].

En Russie, la tsarine Maria Feodorovna, elle-même douée pour la gravure sur gemmes, fut peinte dans une miniature en habit de deuil avec, pour bijou, un camée simplement entouré d'or représentant son époux, Paul Ier [253] ; elle continua à porter ce camée au cours des vingt-cinq années suivantes. Ses deux fils, Alexandre Ier et Nicolas Ier [254], furent représentés en pierre dure par les plus grands artistes du moment, ces portraits étant ensuite montés en bagues, en broches ou en pendentifs, puis offerts à titre honorifique [24]. Sous Nicolas Ier et ses successeurs, la famille impériale et la noblesse commandèrent aux graveurs Luigi et Tommaso Saulini des camées sur coquille, qu'ils firent le plus souvent monter sur des broches ou des bracelets de style néo-antique [25]. Étant donné que le camée sur coquille finit par éclipser le camée sur pierre dure, on peut considérer comme une pièce rare le camée en pierre dure représentant le grand-duc Vladimir monté sur une broche en forme de cœur [26].

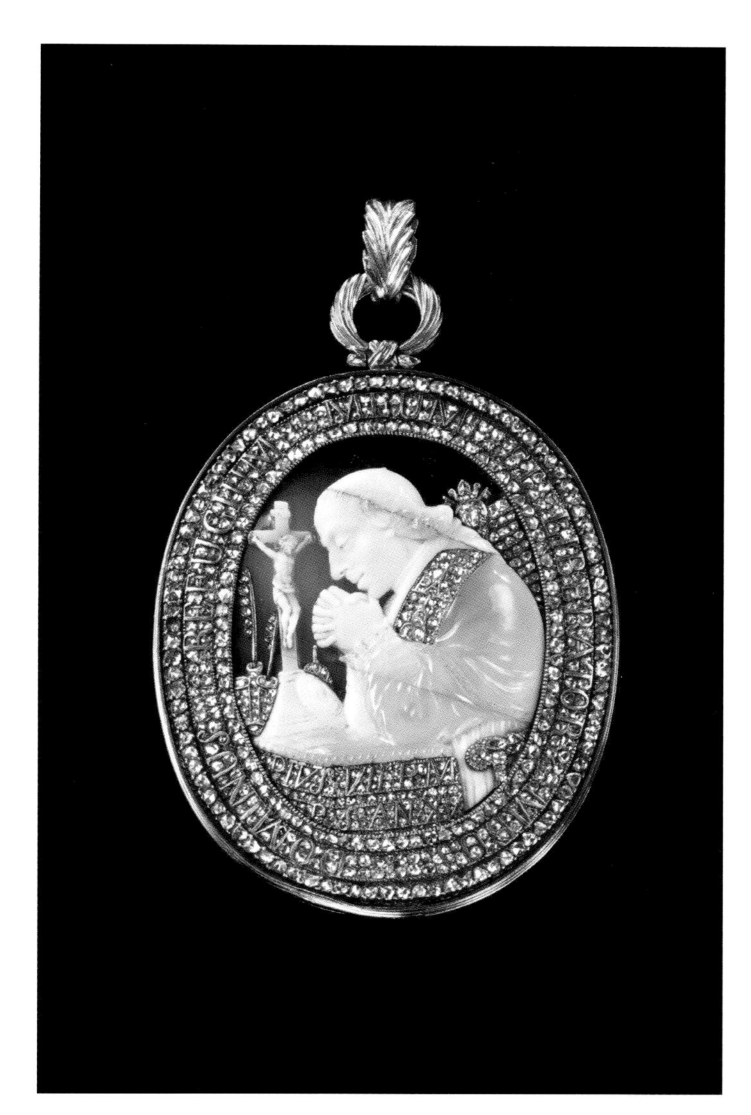

251, 252 Avers et revers d'un pendentif dont le camée, habillé, représente le pape Pie VII (1740–1823) en prière devant l'autel de la Vierge des Douleurs. Le revers, orné d'un pavage de diamants, comporte des symboles de la papauté et deux emblèmes de la famille du pape, les Chiaramonte : une montagne et des têtes de nègre aux yeux bandés. Monture et camée romains, v. 1818. 44 x 32 mm.

СIЯ КНИЖКА ИМПЕРАТОРА АЛЕК=
САНДРА Iго ПОЖАЛОВАНА ИМПЕРА=
ТОРОМЪ НИКОЛАЕМЪ Iмъ Д: Т: С: КН.
АЛЕКС: НИК: ГОЛИЦЫНУ.

ПОРТРЕТЪ ИМПЕРАТРИЦЫ МАРIИ
ПОЖАЛОВАНЪ ЕЯ ВЕЛИЧЕ=
СТВОМЪ ЕМУ ЖЕ.

253 *ci-contre* Miniature représentant l'impératrice de Russie Maria Feodorovna (1759–1828) en habit de deuil avec, pour bijou, un portrait en camée de son époux, Paul Ier (assassiné en 1801), qu'elle avait gravé elle-même. Cette « sœur de la Charité sacrée impératrice » était admirée de son peuple, aux yeux duquel sa mort marqua la fin de la « vieille Russie ». Miniature de Franz Gerhard von Kügelgen (1722–1820), offerte par l'impératrice à son fils Alexandre Ier et montée ultérieurement sur le plat d'un livre. H. de l'ovale : 70 mm.

254 Broche en or dont le camée en onyx, entouré de diamants, représente l'empereur de Russie Nicolas Ier (1796–1855). Camée d'Alexis Klepikou (1803–1852), v. 1840 ; monture de même époque. 22 x 16 mm.

255 Pendentif néorenaissance que Peter Alfred Taylor, homme politique radical, offrit à son épouse à l'occasion de leur quarantième anniversaire de mariage. Le camée en onyx représente en buste Giuseppe Mazzini (1805–1872). Le pendentif est suspendu à un collier constitué de plusieurs groupe de chaînettes en or alternant avec des perles et des gemmes de couleur. Camée de De Felici ; monture de la maison Accarisi & Nipote, Florence, 1882. Pendentif : 99 x 60 mm.

Soucieux d'empêcher la disparition de l'art ancien de la gravure sur gemmes, Augusto Castellani, le plus grand joaillier de Rome, continua à commander des camées et des intailles pour les associer aux montures historicisantes, rehaussées de pierreries, pour lesquelles il était célèbre. Bien que Castellani ait eu une prédilection pour les sujets et figures d'inspiration mythologique ou antique, il montait de temps en temps des portraits en bijoux, comme en témoigne notamment la broche comprenant celui de l'Américaine Ellen Walters [256] [27]. Un des nombreux imitateurs de la maison Castellani, le joaillier Accarisi à Florence, monta un camée en onyx – signé De Felici et représentant Giuseppe Mazzini, l'un des chefs de file du mouvement en faveur de l'unification de l'Italie – sur le pendentif d'un collier néorenaissance destiné à l'épouse de l'Anglais Peter Alfred Taylor, homme politique radical et président de la Société des Amis de l'Italie depuis 1847. Bien que Mazzini soit mort dix ans auparavant, c'est son portrait que le couple avait choisi d'inclure en 1882 dans ce bijou marquant leur quarantième anniversaire de mariage [255].

256 Broche en or composée d'un camée sur coquille représentant Ellen Walters (1822–1862) et d'une monture simple de style néo-antique. William Thompson Walters (fondateur de la Walters Art Gallery à Baltimore) commanda ce camée à Rome en 1862 après la mort de son épouse, survenue la même année. Camée de Tommaso Saulini d'après un buste en marbre de W. H. Rinehart de 1862 ; monture de Castellani, Rome, v. 1862. H. 67 mm.

Les médailles

Les monarques continuèrent, pour des raisons politiques, à faire mouler ou frapper des médailles à leur effigie destinées à immortaliser les événements marquants de leur règne, notamment les couronnements, les mariages et les décès. En Grande-Bretagne, les victoires de l'amiral Nelson et du duc de Wellington, de même que les exploits d'autres figures illustres – telle l'acquisition par lord Elgin des marbres du Parthénon –, donnèrent aussi lieu à l'édition de médailles [28]. Le prince régent – le futur George IV – en commanda un grand nombre, mais seules quelques-unes de celles transformées en bijou ont survécu. Les factures de la maison Rundell, Bridge & Rundell adressées à ce dernier donnent une idée de l'utilisation qu'il fit des médailles. En mai 1820, il eut ainsi à régler « 52,10 £ plus 12 shillings [pour] une belle médaille en or de Sa Majesté George IV [c'est-à-dire lui-même] avec le profil du roi sur l'avers et, au revers, une couronne de chêne, des emblèmes de la nation, une bélière et une inscription [ainsi que] 49,10 £ [pour] une grande chaîne en or massif pour la dite médaille [29] ». En juillet, il acheta une autre médaille qui, commémorant son accession au trône et réalisée en argent, était destinée à l'une de ses sœurs, la princesse Augusta [30]. D'autres furent montées en bagues [31] ou en pendentifs dans des encadrements ornementés [32], mais la plupart étaient insérées dans le couvercle de boîtes destinées à servir de cadeaux officiels [257].

Guillaume IV, qui succéda à son frère en 1831, commanda à l'occasion de son couronnement une médaille à son effigie qu'il fit insérer dans un bracelet-jarretière portant en lettres gothiques la devise suivante : NEC TIMERE NEC TIMIDE (« ni téméraire, ni timide ») ; un autre bracelet fut orné de deux médailles du couronnement, l'une à son effigie et l'autre à celle de son épouse, la reine Adélaïde [33]. Sous le règne de la reine Victoria, qui lui succéda, des médailles destinées à commémorer les événements officiels – tels le couronnement de la reine en 1837, sa soixantième année de règne en 1897 [34] et sa mort en 1901 – furent éditées et montées sur des bracelets, des bagues ou des épingles. Mais les événements importants de la vie personnelle de la reine furent aussi marqués par l'édition de médailles : des bagues à médaille offertes à ceux qui assistèrent en 1840 à son mariage avec le prince Albert [259] ; des épingles de cravate doubles commémorant la naissance du prince de Galles en 1841 [35] et des broches comportant des portraits en médaille du couple royal et de ses six aînés [36]. Pour le président de l'Institut royal des aquarellistes, porter le collier attaché à sa fonction, dont la réalisation avait été confiée au sculpteur Alfred Gilbert, était un signe de loyauté envers la reine Victoria [258] : au centre figure un portrait en médaille de la reine – également dû à Gilbert –, sommé d'une couronne. Des particuliers faisaient également monter en bijoux, à titre privé, des médailles de Gilbert [37].

En Grande-Bretagne, toute une série de médailles furent décernées pour faits de guerre, tout d'abord pendant les guerres napoléoniennes, puis pendant les campagnes destinées à

257 *ci-contre* Tabatière en or dont le couvercle est orné d'une médaille à l'effigie de George IV, entourée de feuilles de chêne. Médaille de Thomas I Wyon (1767–1830), boîte d'Alexander Strachan (actif 1799–1850), vendue par Rundell, Bridge & Rundell, 1821–1822. DIAM. 85 mm. Le roi offrit cette boîte à Simón Bolivar, « El Libertador » de l'Amérique du Sud.

GEORGIUS IV DEI GRATIA BRITANNIARUM REX
RUNDELL BRIDGE & RUNDELL

259 Bague en or dont le chaton comporte deux médailles miniatures à l'effigie du prince Albert et de la reine Victoria. Ces portraits, surmontés d'un myosotis serti d'un diamant et de turquoises, sont entourés chacun d'une monture émaillée bleue. Cette bague faisait partie d'une série de six douzaines de bagues offertes à l'occasion du mariage de la reine et du prince en 1840. Bague de Rundell, Bridge & Rundell. DIAM. 15 mm.

défendre les intérêts britanniques aux Indes, en Afghanistan, en Crimée, en Égypte, en Afrique et dans l'Arctique. On les portait au bout d'un ruban, tout comme les médailles du mérite et les médailles pour bons et loyaux services, plutôt que de les faire monter en bijoux.

En France, Napoléon fit appel aux services de Romain Vincent Jeuffroy et de Bertrand Andrieu pour ses portraits en médaille et ceux de sa famille destinés à être portés en bijoux [38] [261, 262] ou insérés dans des boîtes ou autres accessoires. En Russie, la mort en 1825 d'Alexandre Ier et le couronnement de son frère Nicolas Ier furent commémorés par une série de médailles montées, entre autres, sur des bagues et des tabatières en or [39]. Dans le couvercle d'une tabatière appartenant à cette série a été insérée, à l'intérieur d'une couronne de laurier, une médaille à l'effigie du tsar Nicolas Ier [260] sur laquelle est inscrit sur l'avers, en russe, « Par la grâce de Dieu, Nicolas Ier empereur et autocrate de toutes les Russies » et, au revers, « Le gage de félicité pour tout un chacun couronné à Moscou en 1826 ». Au dos de la tabatière figure un camée en cornaline qui, représentant le frère décédé, le tsar Alexandre Ier, est entouré d'un bord émaillé noir et s'accompagne de l'inscription suivante : « Notre ange au ciel ». Un autre

258 *ci-contre* Collier de fonction du président de l'Institut royal des aquarellistes, composé d'une chaîne en fil d'argent et d'une médaille d'Alfred Gilbert (1854–1934) à l'effigie de la reine Victoria, sommée d'une couronne, v. 1890–1897.

260 Tabatière en or dont le couvercle comporte en son centre, à l'intérieur d'une couronne de laurier, une médaille à l'effigie de l'empereur Nicolas Ier éditée à l'occasion de son couronnement. Médaille de Vladimir Ephraimovich Alexeiev (1784–1832), 1826 ; monture de Johann Wilhelm Keibel (actif 1809–1841), Saint-Pétersbourg, v. 1840. 101 x 68 x 28 mm.

261, 262 Avers et revers d'un pendentif en or avec, à l'avers, une médaille à l'effigie de Napoléon et de l'impératrice Marie-Louise commémorant leur mariage, et, au revers, une médaille à l'effigie de leur fils, le roi de Rome. Les médailles sont sommées d'un aigle tenant le foudre entre ses serres. Médailles de Bertrand Andrieu (1761–1822) et André Galle (1761–1844), Paris, 1811. 32 x 16 mm.

264 Ce bracelet en or, offert par le roi de Danemark Christian VIII (1786–1848) à la reine Caroline-Amélie à l'occasion de leur couronnement en 1840, comporte une médaille à leur effigie. Médaille de C. Christensen (1806–1845), 1840 ; monture d'Emil Ferdinand Dahl, Copenhague.

couronnement, celui en 1840 du roi de Danemark Christian VIII, fut de même marqué par l'édition d'une médaille à l'effigie du roi et de la reine, qui fut montée en bracelet [264]. Dans un portrait en buste de la reine Caroline-Amélie, celle-ci, alors veuve, porte une médaille à l'effigie de son époux mort en 1848 [263].

La longue tradition germanique du portrait en médaille perdura en Prusse. En 1862, la reine Augusta « ôta une épingle en or qu'elle portait sur elle et qui comportait une médaille à son effigie et à celle du roi » et la remit en guise de cadeau d'adieu à la baronne Bloomfield, mariée à un diplomate, en lui disant : « Maintenant, veillez à ne jamais m'oublier, ma chère, et, dès que vous en aurez l'occasion, venez me rendre visite : j'ai été si heureuse de vous revoir [40]. » Ce double portrait en médaille fut par ailleurs monté sur un large bracelet en or [41]. Des médailles à l'effigie du roi Frédéric-Guillaume IV furent également montées sur des

263 *ci-contre* Buste en plâtre de la reine de Danemark Caroline-Amélie (1796–1886). Celle-ci porte une médaille à l'effigie de son époux, Christian VIII, mort en 1848.

bracelets émaillés noirs, portés en sa mémoire par des membres de la noblesse après sa mort en 1861. Un de ces bracelets faisait partie de la collection des princes de Thurn et Taxis [42]. Une broche représentative de la dynastie des Hohenzollern comportait trois médailles d'Émile Weigand à l'effigie des successeurs du roi de Prusse Frédéric-Guillaume IV, à savoir les empereurs Guillaume Ier, Frédéric III et Guillaume II, ces portraits étant séparés par deux flèches serties de diamants en rose [43]. Un bijou plus sophistiqué fut créé en 1881 par le joaillier de Karlsruhe Ludwig Paar : un pendentif destiné à encadrer la médaille à l'effigie du grand-duc de Bade Frédéric Ier et de son épouse, Louise, fille de l'empereur Guillaume Ier – éditée à l'occasion du vingt-cinquième anniversaire non seulement de leur mariage mais aussi de l'accession du grand-duc au trône [266].

Les médailles de mariage éditées de 1850 à 1905 environ étaient pour l'essentiel réservées à un usage privé. Ces médailles à l'effigie des époux portaient leurs noms, leurs titres et la date de la cérémonie. Offertes à la mariée, au marié, à des proches et parfois au garçon et à la demoiselle d'honneur, ces médailles, le plus souvent en argent mais aussi parfois en or, étaient destinées à être portées en pendentif ou à être insérées dans un bracelet. Au cours des dernières décennies du XIXe siècle, l'art de la médaille connut un nouveau souffle en France avec l'émergence de Louis Oscar Roty, Émile Vernier [265] et Frédéric Vernon. Mais, si leurs médailles et plaquettes faisaient de beaux bijoux, notamment de belles broches, elles ne présentaient pas les meilleurs portraits, privilégiant plutôt les évocations poétiques d'événements de l'époque ou de personnages de la littérature, ou encore les scènes de genre ou des sujets religieux ou mythologiques.

265 Médaille de mariage en bronze doré. Le double portrait du prince Roland Bonaparte (1858–1924) et de Marie-Félix Blanc (1859–1882) est sommé d'une couronne napoléonienne. (D'autres exemplaires sont sommés de l'aigle tenant le foudre entre ses serres.) Médaille d'Émile Vernier (1852–1927), 1880. 55 x 28 mm.

266 Pendentif néorenaissance en or, émail, lapis-lazuli et perles comportant une médaille à l'effigie du grand-duc de Bade Frédéric Ier (1826–1907) et de son épouse, Louise (1838–1923). Cette médaille, éditée à l'occasion du vingt-cinquième anniversaire de leur mariage et de l'accession du grand-duc au trône, est sommée d'une couronne grand-ducale et flanquée de chimères. Médaille de R. Mayer († 1916) ; monture de Ludwig Paar, Karlsruhe, 1881. 162 x 77 mm.

Les miniatures et les photographies

L'image de Napoléon ne fut pas seulement diffusée sous la forme de camées, d'intailles et de médailles, mais aussi sous celle de miniatures, peintes par le grand Jean-Baptiste Isabey, par Daniel Saint ou Jean-Baptiste-Jacques Augustin [267]. Ces miniatures, en majorité entourées d'ornements classiques – rinceaux de palmettes, anthémis ou acanthes –, étaient le plus souvent insérées dans le couvercle de tabatières rondes, ovales ou rectangulaires, en or ciselé et émaillé bleu roi, ou en écaille de tortue avec une monture en or. Le prince de Clary, appelé à Paris en 1810 pour le mariage de Napoléon avec l'archiduchesse Marie-Louise, écrivit à son épouse qu'il avait dîné chez le grand chambellan, le comte de Montesquiou, et, qu'avant le repas, celui-ci lui avait

> donné – de la part de l'Empereur – une boîte. Je n'ai pas osé la regarder et l'ai mise en poche [...]. En m'en allant, je n'ai pas osé ouvrir l'écrin en cabriolet, de peur que mon homme ne m'assassinât, de sorte que je suis arrivé, toujours mon trésor en poche, chez M. de Champagny. Là, j'ai pris mon temps et, caché par quelqu'un, ouvert l'écrin dans mon chapeau.

Le prince de Clary décrivit ainsi cette boîte à son épouse :

> La boîte est superbe, beaucoup plus magnifique que je ne pouvais m'y attendre [...], et travaillée admirablement. C'est un grand prince, le prince qui me l'a donnée ! [...] Sur le couvercle se trouve son portrait, peint à merveille par Saint, très flatté, mais assez ressemblant. Sur le fond extérieur, il y a un aigle et une bordure d'arabesques et d'abeilles en émail bleu, qui sont la plus jolie chose du monde [44].

Les personnalités les plus proches de Napoléon reçurent des miniatures à porter en bijoux comme l'insigne d'un ordre de chevalerie. Un portrait en miniature de l'impératrice Joséphine peint par Isabey à Strasbourg en 1805 témoigne de sa fierté vis-à-vis des grandes réalisations de son époux : elle porte sur sa robe de velours rouge une broche comportant un portrait de celui-ci en miniature [45]. Les portraits en miniature de ses petits-enfants montés sur des médaillons ou des milieux de bracelet renfermant des boucles de leurs cheveux témoignent par ailleurs de l'amour qu'elle portait à sa famille. D'une grande élégance et parée de nombreux bijoux, Joséphine fut elle-même souvent peinte en miniature, ces miniatures étant ensuite montées sur des bagues [268] ou des tabatières destinées à servir de cadeaux. Sa première femme de chambre, Mademoiselle Avrillion, écrivit à propos du portrait en miniature qu'elle avait reçu de ses mains : « Ce trésor que je conserve religieusement ne me quittera de ma vie. [...] Lorsque je dois me rendre dans quelque réunion d'amis, j'éprouve je ne sais quel orgueil à m'en parer. Tout le monde s'empresse pour le voir, pour l'examiner, et l'imitation amène tout naturellement la conversation sur les adorables qualités de l'original [46]. »

267 *ci-contre* Tabatière en or, comportant un portrait en miniature de l'empereur Napoléon. La bordure entourant le portrait comprend deux emblèmes de l'empereur, l'abeille et l'étoile. Cette boîte fut offerte à Jean-Baptiste Duvoisin, évêque de Nantes. Miniature de Jean-Baptiste-Jacques Augustin (1759–1832). 90 x 65 mm.

268 Bague en or comportant un portrait en miniature de l'impératrice Joséphine, entouré de perles et de diamants. Joséphine donna cette bague à son fils, Eugène de Beauharnais, afin qu'il l'offrît à son épouse, Augusta-Amélie de Bavière. Miniature de Jean-Baptiste Isabey (1767–1855), v. 1804. 27 x 22 mm.

L'empereur d'Autriche ayant accordé la main de sa fille, l'archiduchesse Marie-Louise, à Napoléon en secondes noces, l'empereur envoya à cette dernière un médaillon comportant son portrait en miniature, bordé de 14 énormes diamants. L'archiduchesse le porta le jour de leur mariage. Au cours des années que tous deux passèrent ensemble, il lui offrit d'autres portraits en miniature, y compris un portrait encadré de perles, occupant le milieu d'un bracelet également constitué de perles. Le joaillier de la cour, Nitot, entoura un portrait en miniature de l'impératrice – destiné à orner le couvercle d'une tabatière – de pierres dont les initiales constituaient le message suivant : « Louise, je t'aime ». Des portraits de l'empereur et de son fils, le roi de Rome, furent de même encadrés de messages composés selon le principe de l'acrostiche sur deux bracelets qui se faisaient pendant et comportaient en outre des cheveux du père et du fils. Peint en émail, le visage de chérubin de ce dernier fut entouré de huit pierres de couleur – dont les initiales formaient le mot « Napoléon » – et monté sur un bracelet composé de mèches de cheveux tressées [47]. Un des portraits en miniature de l'impératrice a été monté sur un pendentif ovale, entouré d'une bordure étroite émaillée bleu foncé et ornée de quatre feuilles rapportées [48] tandis que d'autres ont été insérés dans le couvercle de tabatières [269]. Après la chute de Napoléon, l'ancienne impératrice, devenue duchesse de Parme, se montra pareillement attachée aux portraits en miniature de son époux morganatique, le comte de Neipperg, et de leurs enfants. Parmi les bijoux à valeur sentimentale légués par Marie-Louise figure un médaillon en or dont la miniature représente un des yeux du comte de Neipperg. Dans son testament, la duchesse de Parme avait précisé que ce médaillon était suspendu à la chaîne qu'elle portait toujours autour du cou.

D'autres membres de la famille Bonaparte partageaient ce goût pour les miniatures. Un portrait en miniature d'Augusta-

269 Tabatière en or comportant un portrait en miniature de l'impératrice Marie-Louise (1791–1847), peint d'après le portrait dans lequel elle a été représentée par François Gérard avec son fils, le roi de Rome. Miniature d'Abraham Constantin (1784–1855) ; boîte de François-Regnault Nitot (1779–1853), v. 1812. 90 x 65 mm.

270 *Ci-contre* Broche en or composée d'un portrait en miniature de Caroline Murat, reine de Naples (1782–1839). Les initiales des pierres de couleur qui entourent le portrait – entre lesquelles des perles ont été intercalées – forment le mot « souvenir ». Miniature de Jean-Baptiste-Jacques Augustin, v. 1807 ; monture de même époque.

Amélie de Bavière, l'épouse d'Eugène de Beauharnais, vice-roi d'Italie, fut entouré de trois rangs de diamants et monté sur un large bracelet de perles. Très attaché à celle-ci et à leurs cinq enfants, Eugène portait leurs portraits en miniature sur la chaîne de sa montre. Joachim Murat, un des beaux-frères de Napoléon, écrivit à sa fille Letizia en août 1812 qu'il attendait le portrait en miniature d'Achille, lui précisant qu'il avait toujours avec lui le sien et celui de sa mère, qui lui tenaient lieu de talismans [49]. Ce brillant officier de cavalerie les garda en effet avec lui pendant toutes les campagnes napoléoniennes et, lors de son exécution en 1815, il fit courageusement face à la mort en « tenant dans ses mains les portraits de sa femme et de ses enfants [qui] ornaient auparavant la garde de son épée [50] ». Un portrait en miniature de son épouse, Caroline, sœur de Napoléon, fut monté en broche et entouré du mot « souvenir » – formé selon le principe de l'acrostiche, c'est-à-dire à partir des initiales des pierres de couleur utilisées, entre lesquelles des perles furent par ailleurs intercalées [270]. Mais certains portraits en miniature de Caroline n'étaient pas destinés à être montrés : le 19 septembre 1807, elle acheta à Breguet une montre à secret, renfermant un portrait [51]. Les portraits en miniature étaient généralement montés en bagues, bracelets et broches. Un portrait en miniature de Letizia Bonaparte, la mère de Caroline, fait cependant exception : entouré de perles, il a été monté en pendentif et suspendu à un collier constitué d'une double chaîne [52].

La famille impériale n'était pas la seule à commander des portraits en miniature de ses proches. Même Isabey, le peintre préféré de l'impératrice Joséphine, trouvait parfois le temps d'honorer des commandes de portraits qui, indépendamment de leur portée politique, avaient un caractère privé. Le portrait en miniature qu'il fit d'un enfant – dont on ne connaît aujourd'hui que le prénom, Ernest, inscrit au revers de la monture – a un charme irrésistible, qui dut ravir ses parents [271–273]. Encadré de nœuds à boucles sertis de diamants, il constitue le milieu d'un collier dont le fermoir – qui prenait place derrière le cou – renferme des cheveux de l'enfant. D'autres bijoux reflètent le nombre de séparations et de morts causées par les guerres de la Révolution française et les guerres napoléoniennes. Le jeune comte de La Bédoyère, victime de son engagement politique, révéla, dans le testament qu'il établit juste avant son exécution en août 1815, son attachement aux portraits en miniature de son épouse Georgine et de leur fils Georges. Dans ce document, il précisait en effet qu'il léguait à son fils le portrait de sa chère Georgine qu'il garderait sur lui au moment de sa mort, et priait en outre sa chère mère d'accepter le portrait de son fils et de transférer sur celui-ci tout l'amour qu'elle lui avait montré. En 1835, le grand romancier Honoré de Balzac révéla à sa maîtresse Madame Hanska avec quelle impatience il attendait son portrait et lui précisa que, si elle avait l'intention de le faire monter en bijou, il le voulait entre deux plaques émaillées et surtout pas plus épais qu'une pièce de cinq francs de manière à pouvoir le porter sur son cœur comme un talisman qui lui donnerait force et courage.

Les portraits en miniature suscitaient de vives passions. Le 25 mai 1846, l'actrice Rachel demanda à Jules Fossin de monter sur un fermoir de bracelet un portrait en miniature de son amant, le comte Walewski, et de l'entourer de pierres dont les initiales formaient le prénom Alexandre : A(méthyste), l(apis), é(meraude), x(yloïde), a(méthyste), n(atrolite), d(iamant), r(ubis) et é(meraude). Le comte ayant cependant épousé le 4 juin une Florentine, Marianne de Ricci, sans en avoir préalablement informé l'actrice, celle-ci ne décoléra point. Elle refusa d'aller chercher le bracelet et ne posa plus jamais les yeux sur le portrait en miniature du comte [53].

Vers 1829 apparurent les « épingles à la Ninon », portant en leur centre un portrait en miniature inséré dans un médaillon ovale, lui-même entouré d'une bordure ornée de pierreries ou abondamment ciselée. Elles étaient censées mettre fin à la mode du bracelet à miniature, mais ce fut peine perdue. Cette mode perdura,

271–273 Trois détails d'un collier constitué de nœuds à boucle sertis de diamants. Au centre figure une miniature représentant en buste un enfant prénommé Ernest. Son prénom est inscrit au revers de la miniature tandis qu'une boucle de ses cheveux a été insérée dans le fermoir du collier. Miniature de Jean-Baptiste Isabey ; collier datant du premier quart du XIXe siècle ; DIAM. (milieu de collier) 18 mm.

Ernest

et les broches ovales, toujours en vogue pour fermer les châles en cachemire et les fichus, eurent encore plus de succès et augmentèrent même de taille. En 1840, la mode était telle que l'a décrite Alphonse Karr dans *Les Guêpes* :

> Les femmes portent plus que jamais des tableaux pour broches à leur cou ; il en est d'une grandeur incroyable ; on choisit pour ces exhibitions des portraits de famille. Dernièrement, du salon où j'attendais qu'une femme à laquelle je faisais une visite fût en état de me recevoir, j'ai entendu une femme de chambre qui disait : « Madame mettra-t-elle son grand-père ou son petit chien ? » Cette manifestation d'ancêtres est embarrassante pour une grande partie de l'aristocratie nouvelle. [...] Je trouve singulier, du reste, cet usage de porter sur la poitrine, dans les bals et les fêtes, des portraits de personnages morts. Cela donne aux femmes un petit air de catafalque médiocrement divertissant [54].

Alors qu'une broche pivotante ou un pendentif ne pouvait guère comporter plus de deux portraits en miniature, un bracelet pouvait permettre d'en loger jusqu'à huit.

Sous la Restauration, les Bourbons continuèrent à distribuer des portraits en miniature à leurs partisans et aux membres de leur famille. Marie-Caroline, duchesse de Berry et mère du légitime héritier du trône, le duc de Bordeaux, était tout particulièrement attachée aux portraits en miniature de ses proches. Elle portait à un poignet les portraits de ceux encore en vie et, à l'autre, de ceux déjà morts comme la reine Marie-Antoinette, par exemple, dont le portrait s'accompagnait de l'inscription suivante : « Portrait de ma très chère tante Marie-Antoinette, reine de France ». Ainsi, lorsqu'il y avait un décès dans la famille, le portrait en miniature correspondant passait d'un poignet à l'autre [55]. Vers 1826, Marie-Caroline commanda pour sa sœur Louise-Charlotte des Deux-Siciles une boîte à lettres spectaculaire [276] présentant des portraits en miniature sur deux faces : sur l'une d'elles, le portrait du beau-frère de la duchesse, le duc d'Angoulême, flanqué de ceux de son épouse et de la duchesse de Berry elle-même ; sur l'autre, ceux des enfants de la duchesse – le duc de Bordeaux et Louise de France –, de part et d'autre de celui de leur grand-père, Charles X, le beau-père de la duchesse. Les six portraits sont sommés d'une couronne et entourés de fleurs de lys et d'armoiries. Un portrait en miniature dû à Salomon-Guillaume Counis qui représente la duchesse de Berry en deuil après l'assassinat de son époux en 1820 a été inséré, sur une broche, à l'intérieur d'une guirlande de roses dont les épines font allusion aux tourments de la vie. Cette guirlande, exécutée dans de l'or de différentes couleurs, est agrémentée de pierres de couleur dont les initiales forment un message [274]. La broche qui fait pendant à celle-ci et porte de même un message composé selon le principe de l'acrostiche comprend un portrait en miniature du duc de Berry [275]. Ce portrait n'est pas entouré d'une guirlande de roses épineuse mais seulement, en hommage à ce duc à la vie brève, d'une guirlande de fleurs exécutée dans de l'or de différentes couleurs. Un bracelet en acier bleui comportant un portrait en miniature du duc, flanqué de ses initiales (CB) et de motifs de fleurs de lys et de flammes, a un caractère plus solennel. Il est si petit que sa fille Louise pourrait bien l'avoir porté en souvenir de son père [56].

Louis-Philippe, duc d'Orléans, qui succéda à Charles X en 1830, et son épouse, Marie-Amélie, avec qui il eut de nombreux enfants, se montrèrent encore plus férus de miniatures. Au moment de leurs fiançailles, en 1816, Marie-Amélie envoya son portrait en miniature à Louis-Philippe. Il était monté sur un médaillon en forme de cœur qui, renfermant en outre quelques cheveux de Marie-Amélie, était bordé d'un décor de myosotis et portait l'inscription « Ceci est à vous » [277]. Sur une boîte à musique en malachite et bronze doré furent réunis en 1822 les portraits de toute la famille d'Orléans, c'est-à-dire ceux de Louis-Philippe, de sa sœur Adélaïde, de son épouse Marie-Amélie et ceux, entourés d'une guirlande de roses, des huit enfants du couple [57]. Au cours des phases successives de la vie de cette famille, d'autres portraits en miniature tant des parents que des enfants furent peints, certains montés individuellement ou par deux sur une broche [279, 280] ou le fermoir d'un bracelet, tandis que d'autres étaient insérés sur des bracelets articulés pouvant en contenir jusqu'à six [58]. La princesse Adélaïde affichait sa préférence pour l'un de ses neveux, le prince de Joinville, en portant autour du cou un médaillon composé d'une miniature représentant un de ses yeux, « les yeux les plus séduisants que [la princesse de Ligne] [eût] jamais vus, bleus avec des cils noirs [59] ». Le portrait de la reine Marie-Amélie peint par Ary Scheffer alors qu'elle était en exil à Londres montre que la reine demeura attachée vers la fin de sa vie à ces bijoux souvenirs. Dans ce portrait, son col est en effet fermé par une broche comportant un portrait en miniature de Louis-Philippe, entouré de perles ou de diamants [60].

Lorsque les princes et princesses d'Orléans atteignirent l'âge adulte, ils commandèrent eux aussi des portraits montés en bijoux de leur époux ou épouse et de leurs enfants. L'aîné, le duc d'Orléans, commanda en 1837 un bracelet dans lequel un portrait était caché sous un couvercle [61]. En 1857, les princes d'Orléans, alors en exil, offrirent un portrait en miniature de leur sœur décédée, Louise, reine des Belges, à sa fille, la princesse Charlotte, à l'occasion de son mariage avec l'archiduc d'Autriche Maximilien, le futur et malheureux empereur du Mexique [295]. Le joaillier londonien C. F. Hancock l'inséra dans un médaillon doté d'un décor d'émaux et de diamants à la Holbein s'inspirant de la « parure Devonshire » qui l'avait rendu célèbre l'année précédente [281].

Offrir des portraits en miniature demeura une coutume sous le Second Empire. Tant Napoléon III que l'impératrice Eugénie distribuèrent des boîtes en or avec, sur le couvercle, leurs portraits en miniature entourés de diamants [284]. Deux broches à miniature firent partie des toutes premières commandes que l'impératrice passa à Jules Fossin. L'une, au portrait « entouré de diamants surmontés d'une couronne impériale en roses, toque émail rouge, rubans rubis et roses », pourrait avoir été destinée à servir d'insigne à sa dame d'honneur. L'autre, au portrait « entouré d'un cercle de rayons de diamants et de quatre émeraudes surmontés d'un trèfle en émail vert entourés de diamants » pourrait avoir été commandé pour elle-même, car le trèfle rappelle le premier cadeau que lui avait fait Napoléon III et on sait, par ailleurs, qu'elle portait en broche le portrait de celui-ci dû à Paul de Pommeraye, tout comme les épouses de Napoléon Ier avaient porté autrefois celui de leur mari. Le large bracelet articulé comportant les portraits non seulement du couple impérial mais aussi de l'oncle Jérôme Bonaparte et de son fils et de sa fille a une dimension plus dynastique [285].

Les décors des montures variaient. On trouvait des motifs symboliques tels que le serpent ou le lierre, et d'autres purement ornementaux comme les guirlandes de fleurs, les rubans ou les cuirs roulés. Ces motifs en or ciselé étaient émaillés et rehaussés de pierres précieuses. Les annotations détaillées qui entourent un dessin de Jules Fossin [286] témoignent de l'importance accordée à ces motifs et du soin apporté à leur réalisation. L'une des guirlandes émaillées les plus sophistiquées fut celle créée en 1870 pour le duc d'Aumale par Émile Froment-Meurice et destinée à encadrer un portrait en miniature de son épouse peint en 1824, alors qu'elle n'était âgée que de deux ans [287]. Cette guirlande,

276 *ci-contre* Boîte à lettres en orme et bois fruitier ornée de bronzes dorés. Elle porte des emblèmes de la monarchie des Bourbons ainsi que des portraits en miniature de cette famille. Elle fut commandée par Marie-Caroline, duchesse de Berry, qui l'offrit à sa sœur Louise-Charlotte des Deux-Siciles. Sur la face apparente figure le portrait de son beau-frère, le duc d'Angoulême, flanqué de celui de son épouse et de Marie-Caroline elle-même. Miniatures d'Émilie de Lorme ; boîte d'Alphonse Giroux (1775–1848), v. 1826. 305 x 420 mm.

274, 275 Deux broches exécutées dans de l'or de différentes couleurs et conçues comme des pendants : l'une comporte un portrait en miniature du duc de Berry (1778–1820) ; l'autre, un portrait de sa veuve, Marie-Caroline (1798–1870). Chacun de ces portraits est entouré d'une guirlande de fleurs – une guirlande de roses aux tiges épineuses dans le cas de la duchesse – auxquelles s'entremêlent des pierres dont les initiales forment un message. Miniatures de Salomon-Guillaume Counis (1789–1859), v. 1820 ; montures de même époque. 35 x 27 mm (duchesse) ; 34 x 25 mm (duc).

277 *ci-contre* Médaillon en or en forme de cœur, bordé d'un décor de myosotis. Il comporte un portrait en miniature de Marie-Amélie de Bourbon-Siciles (1782–1866), entouré de cheveux rayonnants. Médaillon envoyé par M.-A. de Bourbon-Siciles à son fiancé, le futur roi de France Louis-Philippe. Miniature de Giuseppe Tresca (?), Naples ou Palerme, 1816. 41 x 34 mm.

278 Jeune femme à l'attitude pensive dissimulant dans son décolleté un portrait en miniature de son amant, monté en pendentif. Gravure d'Alexandre Legrand (1822–1901), années 1840.

créée à sa mémoire, se compose de branches feuillues représentatives des différentes phases de sa vie, « des branches d'oranger en fleurs, de vigne et de houx rappelant les pays où la princesse vécut : la Sicile, son lieu de naissance, la France puis l'Angleterre, où elle mourut ». Le portrait a été fixé sur un chevalet qui repose sur un socle en marbre, sur lequel une plaque indique les dates de naissance et de mort de la duchesse.

Quelques années plus tard, un autre grand joaillier parisien, René Lalique, créa un collier pour la maîtresse d'Émile Zola, Jeanne Rozerot. Celui-ci se composait d'un pendentif encadrant le profil de leurs deux enfants – Denise et Jacques – et d'une chaîne constituée de feuilles de lierre émaillées [288]. Il illustre d'une part la passion de Zola, d'un âge déjà avancé, pour la jeune Jeanne, et d'autre part l'amour que tous deux vouaient à leurs « chers beaux mignons ». C'est après avoir fait la connaissance de ces enfants que Madame Zola, qui s'était sentie humiliée par cette liaison et avait d'abord éprouvé de la colère, parvint à accepter l'infidélité de son époux. En 1904, elle fit officiellement donner comme patronyme aux enfants d'Émile Zola – alors décédé – le prénom et le nom de leur père.

La mode des portraits en miniature était alors universelle. En Bavière, le roi Louis Ier et son épouse firent encadrer de diamants deux de leurs portraits en habit de cour destinés à prendre place sur des bracelets également entièrement sertis de diamants [289, 290]. Bien que moins coûteux, le bracelet articulé qu'arborait fièrement la reine Anna des Pays-Bas, d'origine russe, n'en était pas moins porteur d'un message politique fort [291]. Le portrait en miniature de son époux, Guillaume II, en ornait le fermoir, et chacune des plaques articulées qui l'encadraient portait le nom d'une des batailles auxquelles celui-ci avait participé contre Napoléon, de 1811 à 1815, en tant qu'aide de camp de Wellington.

En Angleterre, George IV offrit, en tant que régent puis en tant que roi, des portraits en miniature à sa mère, la reine Charlotte, aux

279, 280 Deux faces d'une broche en or comportant un portrait en miniature, peint en émail, du roi Louis-Philippe (1773–1850) et un autre de son fils le duc d'Orléans (1810–1842). Le cadre à décor de cuirs roulés, sommé d'une couronne, se compose en outre de trois putti tenant des phylactères et une guirlande de fleurs émaillées, rehaussées de diamants en rose. Broche signée Latreille, Bordeaux, v. 1830–1840. H. 95 mm.

281 Chromolithographie de la « parure Devonshire », créée par le joaillier londonien C. F. Hancock à partir de 88 camées et intailles et de centaines de diamants provenant de la collection ancestrale du sixième duc de Devonshire. Créée pour être portée par la comtesse Granville – nièce par alliance du duc – au couronnement de l'empereur Alexandre II à Moscou en 1856, cette parure, émaillée d'un décor à la Holbein, en lança instantanément la mode.

282, 283 Avers et revers d'un médaillon en or dont le style s'inspire de la « parure Devonshire », suspendu à une chaîne en or réglable par un coulant de diamant. Sur l'avers figure, au cœur d'une rose Tudor, un portrait en miniature du roi de Grande-Bretagne et d'Irlande Guillaume IV (1765–1837), entouré d'un décor à la Holbein constitué de têtes de fleur et de volutes se détachant sur un fond bleu roi et alternant avec des diamants. Au revers, le portrait en miniature de l'épouse du roi, la reine Adélaïde (1792–1849), apparaît au cœur d'une rose Tudor. La monture en médaillon et l'inscription en gothique au revers furent ajoutées par Wilhelmine, comtesse de Münster. Portrait de Guillaume IV : Charles Jagger (v. 1770–1827) ; portrait de la reine Adélaïde : William Essex (1784–1869) ; médaillon, v. 1856.

284 *ci-dessous* Boîte en or agrémentée d'une miniature représentant l'empereur Napoléon III (1808–1873) en grand uniforme, avec le cordon et la croix de la légion d'honneur. Miniature de Gabriel Aristide Passot (1797–1875) d'après un portrait de F. X. Winterhalter ; boîte de Maurice Meyer (1838–1875), milieu du XIXe siècle. 95 x 60 x 28 mm.

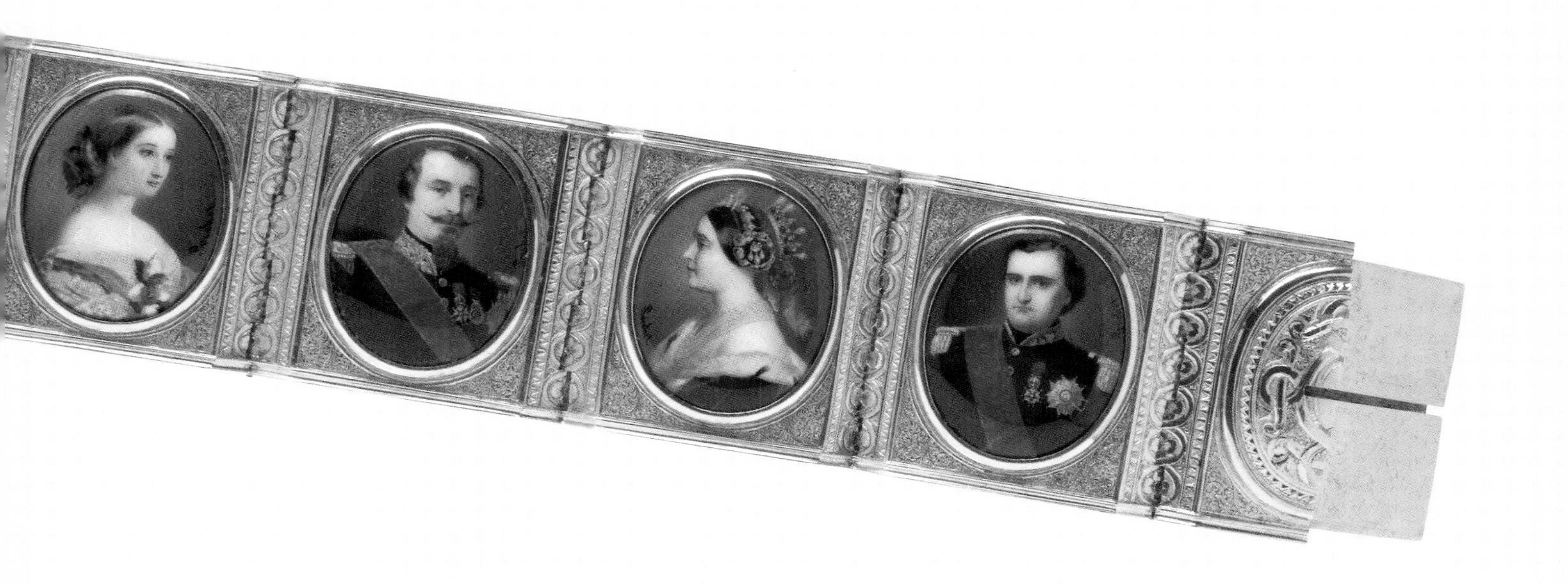

285 *ci-dessus* Bracelet en or composé de plaques articulées portant les portraits en miniature (de gauche à droite) du prince Jérôme Bonaparte (1784–1860), l'oncle de Napoléon III, de l'impératrice Eugénie (1826–1920), de Napoléon III, et des enfants du prince Jérôme, Mathilde et Jérôme. Miniatures du peintre Philippe Prochietto dit Prochet (1825–1890), actif à Genève ; monture de Mellerio, Paris (?), après 1854. 35 x 220 mm.

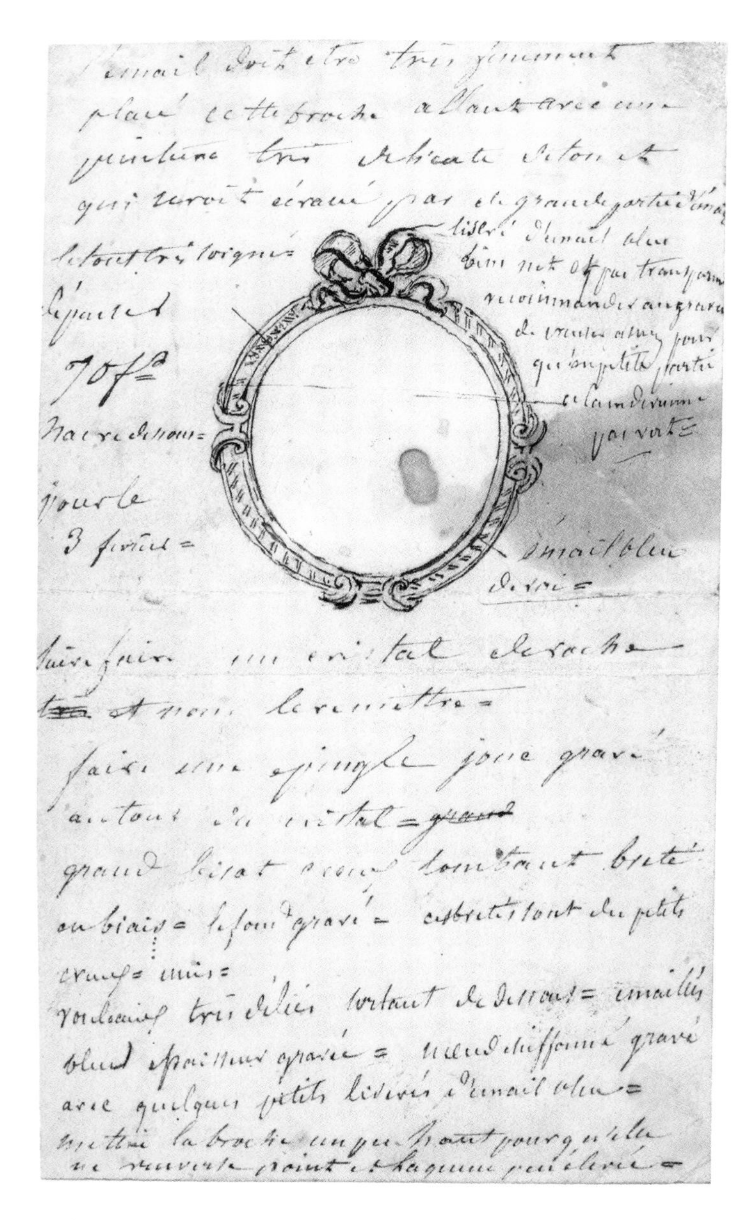

286 Dessin d'une monture de broche destinée à encadrer une miniature. Les annotations qui l'entourent indiquent qu'elle allait être délicatement émaillée de manière à former avec le portrait un ensemble harmonieux. Dessin de Jules Fossin (1808–1869), v. 1840.

princesses et à certaines dames depuis longtemps au service de la cour. Dans une note datée du 3 novembre 1813, qu'il joignit à une tabatière destinée à la reine Charlotte, il explique le sens à donner à la présence de son portrait sur celle-ci :

> Ayant appris la merveilleuse nouvelle [la défaite de Napoléon à la bataille de Leipzig], peut-être me permettrez-vous un brin de superstition en acceptant de mettre dans votre poche cette bagatelle et d'en extraire un petit peu de tabac à priser avant de vous retirer pour vous reposer, car elle porte le portrait de quelqu'un dont vous penserez désormais, j'espère, que vous n'avez pas à rougir, et que ni sa famille ni son pays n'ont à rougir, quelqu'un qui, dans les limites de son pouvoir, a contribué dans toute la mesure du possible à faire advenir tous les grands et splendides événements et succès dont la divine providence a bien voulu gratifier et couronner notre entreprise en conjonction avec les efforts et les armes de nos alliés [62].

En 1816, la comtesse douairière d'Ilchester fut fière de recevoir à l'anniversaire de la princesse Marie « un magnifique cadeau du régent, son portrait superbement agrémenté de diamants. Celui-ci le lui offrit en disant “je vous suis très obligé” [63] ». Cette miniature et les rares autres d'Henry Bone qui entrèrent dans la composition de ces bijoux de dimensions variables furent encadrées de diamants et sommées d'une couronne, le tout s'accompagnant, au revers, du chiffre royal, également entouré de diamants. Ainsi George IV fonda-t-il l'ordre de la Famille royale, dont l'insigne était, et est encore aujourd'hui, réservé aux figures féminines de la famille royale et aux dames de très haut rang, telle la maîtresse de la garde-robe. George IV remit cet insigne à lady Conyngham. Lord Melbourne allait par la suite se souvenir que seules deux

287 *ci-contre* Portrait en miniature de la duchesse d'Aumale (1822–1869) à l'âge de deux ans. Le portrait est entouré d'un cadre en or émaillé, dont le décor de fleurs d'oranger, de vigne et de houx fait référence aux pays dans lesquels elle vécut.
Ce portrait a été fixé sur un chevalet destiné à être placé dans la chambre de son époux après sa mort.
Cadre d'Émile Froment-Meurice (1837–1913), 1870. Miniature : DIAM. 32 mm.

288 *ci-dessus* Jeanne Rozerot (1867–1914) porte ici un collier dont le pendentif comprend les portraits en miniature, peints en émail, de Denise et Jacques, les deux enfants qu'elle eut avec Émile Zola. Collier et miniatures de René Lalique (1860–1945). La photographie a été réalisée à partir d'un négatif ayant appartenu au petit-fils de Jacques, le docteur François Émile-Zola.

289, 290 Bracelets entièrement sertis de diamants et conçus comme des pendants. L'un comprend un portrait en miniature du roi de Bavière et mécène Louis Ier (1786–1868) ; l'autre, un portrait de son épouse, la reine Thérèse (1792–1854). Miniatures exécutées d'après des portraits de Joseph Stieler, v. 1850.

autres ladies n'appartenant pas à la famille royale avaient eu cet honneur, à savoir lady Cowper et lady Aboyne. Le régent, chef d'État victorieux, remit aussi sa miniature entourée d'une riche monture à certains alliés étrangers, notamment au célèbre commandant des cosaques Matveï Ivanovitch Platov, en visite à Londres en 1814 [292].

Un deuil national fut décrété suite à la mort tragique de la princesse de Galles, Charlotte, décédée en donnant naissance à un fils. Après sa mort, son portrait fut inséré dans des bijoux portés par ses proches. Ainsi son père commanda-t-il à la maison Rundell, Bridge & Rundell « une broche en or ciselé, avec un portrait de Son Altesse Royale la princesse Charlotte, une couronne céleste, un bouton de rose, etc. » ; il commanda en outre une bague à sa mémoire, dans laquelle un serpent entourait son portrait en miniature [64]. Le futur roi des Belges Léopold Ier, son époux, offrit à lady Jersey un des portraits en miniature créés en souvenir

291 Bracelet en or comportant un portrait en miniature du roi des Pays-Bas Guillaume II (1792–1849). Sur les plaques du bracelet sont inscrits les noms des batailles auxquelles il participa contre Napoléon de 1811 à 1815. Ce bracelet fut porté par l'épouse russe du roi, la reine Anna. Miniature de Jean-Baptiste-Joseph Duchesne (1770–1856), 1825.

de la princesse. Celui-ci avait été inséré dans un médaillon comportant en outre des cheveux de la défunte. L'avers, émaillé noir, était sommé non seulement d'une couronne sertie de diamants et de rubis mais aussi des initiales de la princesse, PC, tandis qu'au revers figurait l'inscription suivante : « Elle fut heureuse / Ah, ne vous apitoyez pas [65]. » Léopold conserva un autre portrait en miniature de la princesse en souvenir de leur vie de couple, qui avait été brève mais heureuse. Ce portrait s'accompagnait d'une inscription en italien qui signifiait « Bénis sois le jour, le mois et l'heure même / Fidélité et amour, le 16 décembre 1816 » et faisait référence aux joyeuses célébrations de son propre anniversaire ayant eu lieu à Claremont, dans le Surrey. Après sa mort, en 1865, Léopold II, son fils, offrit le portrait en miniature à la reine Victoria qui, elle-même veuve inconsolable, dut comprendre ce qu'il avait représenté pour son oncle [66].

Des portraits en miniature de Guillaume IV et de son épouse, la reine Adélaïde, furent insérés au cœur de roses Tudor, et montés en milieux de bracelet, en bagues mais aussi dans un grand médaillon créé pour Wilhelmine, petite-fille du roi et comtesse de Münster [282, 283]. La reine Victoria, qui succéda à Guillaume IV, avait commencé dès sa plus tendre enfance, et allait continuer bien après avoir été veuve, à distribuer plus de portraits en miniature d'elle-même, de son époux – le prince Albert – et de leurs enfants, que de portraits de n'importe quel autre type. Les portraits en miniature de son bel époux entretenaient le souvenir de leur heureuse vie familiale. Le plus ancien, peint par William Ross en 1839 et, selon la reine, « ravissant et très parlant », avait été immédiatement monté en bracelet : l'aîné de leurs filles, la princesse Victoria, le tient à la main dans un portrait en miniature datant de 1844 [67]. De l'année 1840 jusqu'à sa mort, la reine en porta un autre tantôt en broche tantôt en milieu de bracelet. Il s'agit d'un profil du prince, « un portrait des plus exquis », entouré de diamants ; les couleurs ont perdu de leur éclat, ce qui tend à prouver que c'était son portrait préféré [68]. Dans une miniature moins personnelle et plus représentative du statut du prince, celui-ci apparaît en armure tel un chevalier du Moyen-Âge. Ce portrait, entouré du collier de l'ordre de la Jarretière, a été monté sur un bracelet de la maison Garrard reprenant les nœuds et les roses du collier de l'ordre [294] [69]. La reine Victoria ne cessa de porter, de son accession au trône jusqu'à sa mort, un portrait en miniature d'elle-même entouré de diamants et suspendu à un nœud en ruban cramoisi.

Des miniatures pour d'autres pendentifs, bagues et bracelets furent peintes par William Ross et William Essex d'après un portrait de la reine dans sa robe de couronnement dû à A. E. Chalon et un autre dû à F. X. Winterhalter. La reine les offrit en cadeau de mariage aux membres de sa famille et aux enfants de ceux qui étaient à son service : en 1877, Mary Anson, fille du secrétaire du prince consort, reçut un médaillon avec les portraits du couple royal ; en 1890, lors de son mariage avec l'explorateur H. M. Stanley, Miss Dorothy Tennant porta, suspendu à un collier serti de diamants, un portrait en miniature de la reine encadré de diamants et comportant au revers une boucle de ses cheveux. Les nombreuses dames d'honneur qui se succédèrent reçurent toutes un bracelet en or avec, sur le fermoir, un portrait en miniature de la reine et, au revers, un mot affectueux.

D'autres portraits en miniature, généralement peints en émail, furent envoyés à des personnes avec lesquelles la reine avait des relations privilégiées : à Louise, reine des Belges [voir 295] et épouse de son oncle, Léopold Ier ; à Clémentine, l'épouse du duc de Saxe-Cobourg ; et à Victoire, la duchesse de Nemours. Un autre fut remis à Stéphanie de Hohenzollern-Sigmarigen lorsqu'elle fit une brève halte en Angleterre en se rendant à Lisbonne pour son mariage, en 1858, avec Pierre V [296]. La reine offrit à la duchesse d'Aumale un portrait en miniature, encadré de brillants et de corail, et monté en coulant de manière à pouvoir être porté autour du cou ou au poignet. Au revers était inscrit : SOUVENIR D'AMITIÉ VICTORIA R. / 26 AVRIL 1859, cette date étant celle de l'anniversaire de la duchesse [70]. Un bracelet composé des portraits en

292 *ci-contre* Dans ce portrait peint par Thomas Phillips, le commandant des cosaques Matveï Ivanovitch Platov (1751–1818) porte un portrait en miniature du prince régent que celui-ci lui avait remis à Londres en 1814. Entourée de diamants et sommée d'une couronne, sa monture est semblable à celle du portrait en miniature de George IV peint par Henry Bone *(ci-desssus)*.

293 Insigne composé d'un portrait en miniature du roi de Grande-Bretagne et d'Irlande George IV (1762–1830). Tant la bordure entourant le portrait que la couronne dont il est sommé sont émaillées et serties de diamants. Miniature d'Henry Bone (1735–1844), 1820 ; monture probablement de Rundell, Bridge & Rundell, 1821.

294 Portrait en miniature du prince Albert (1819–1861) en armure du Moyen-Âge. Ce portrait, entouré du collier de l'ordre de la Jarretière, a été monté sur un bracelet reprenant les nœuds et les roses de ce collier. Miniature de William Essex ; bracelet de la maison Garrard, 1844. Miniature : 30 x 25 mm.

miniature des enfants de la reine, semblable à ceux portés par leur grand-mère, la duchesse de Kent [297, 298], fut offert à leur gouvernante, lady Lyttleton, quand celle-ci se retira en 1850. Le nombre d'enfants représentés sur les bracelets de ce type varie en fonction de la date à laquelle ils furent offerts [71].

D'autres monarques, comme le roi et la reine de Hanovre, pourraient avoir reçu le cadeau traditionnellement offert par la reine Victoria, à savoir une tabatière agrémentée de son portrait entouré de diamants. Elle en offrit une à l'ambassadeur de France, le comte Walewski, en souvenir du traité de paix. Lorsqu'on demanda à la reine si la comtesse Walewski pouvait faire monter le portrait en bracelet, elle répondit qu'elle préférait le savoir au bras de Madame que dans la poche de son époux. La reine Victoria aimait également à se souvenir des défunts de sa famille au travers de portraits en miniature : après 1863, elle porta ainsi celui du prince Albert, monté sur une grande croix sertie de diamants, et, à partir de 1878, celui de sa deuxième fille, la princesse Alice.

La reine Victoria partageait avec ses sujets et d'autres monarques un goût pour les miniatures représentant uniquement un œil [299] : en 1863, elle offrit en cadeau de Noël à la princesse Béatrice un bracelet composé d'un médaillon qui renfermait une boucle de ses cheveux et une miniature représentant un œil du prince Albert [72]. Une autre miniature du même genre, placée à l'intérieur d'un médaillon sur lequel la couronne et le chiffre du prince Albert avaient été gravés, fut adressée en 1845 à la duchesse de Saxe-Cobourg-Mecklembourg. En 1847, Louise, reine des Belges, reçut, à l'intérieur d'un cœur en or gravé, une miniature représentant un œil de la reine, puis, l'année suivante, de nouveau insérée à l'intérieur d'un médaillon en or, une miniature représentant un œil de la princesse royale. La famille royale de Grande-Bretagne continua à commander des miniatures destinées à être montées en bracelets ou en broches bien après le

295 *ci-contre* Bracelet néorenaissance comportant un portrait en miniature, bordé d'émaux et de diamants, de Louise (1812–1850), reine des Belges. Les frères et sœurs de la reine offrirent ce bracelet en cadeau de mariage à sa fille, Charlotte, en 1857. Le portrait est une copie d'une miniature de William Ross de 1840 ; le bracelet est de C. F. Hancock. H. 71 mm.

296 Bracelet en or et pierres précieuses comportant un portrait en miniature de la reine Victoria. Celle-ci l'offrit à sa cousine Stéphanie, future reine du Portugal, lorsqu'elle lui rendit visite à Londres, en 1858, en se rendant à Lisbonne. Miniature de John Simpson (1811–1871), milieu du XIXe siècle ; monture de même époque. 55 x 48 mm.

début du XXe siècle, et ce, tant pour des cadeaux officiels que pour entretenir le souvenir des défunts.

On trouve dans la littérature de nombreuses références au portrait en miniature monté en médaillon, en bracelet ou en bague, ce qui témoigne de sa popularité au cours de la première moitié du XIXe siècle. Dans le roman de lady Caroline Lamb intitulé *Glenarvon* (1816), Buchanan galope sous la fenêtre de Calantha, « les mains parées de bagues [et] une chaîne en or, avec une miniature à demi cachée, suspendue au cou ». Dans *The Confessions of an Elderly Gentleman* (1836) de lady Blessington, un joaillier à la mode montre à l'héroïne le milieu en diamant et saphir d'un bracelet faisant partie d'une parure, puis appuie sur « un ressort secret faisant s'ouvrir la plaque en or située au revers et découvrant ainsi un petit portrait peint en émail de Monsieur Vernon ». Dans *Fitzgeorge* (1828), Juliet, éprise du héros éponyme, « soupire et pleure » en regardant le portrait en miniature de celui-ci, entouré d'or et de perles, « puis le serre contre son cœur. [...] Les portraits en miniature sont faits pour les amants, ils adoucissent les traits, ils parviennent à être ressemblants sous une forme si condensée qu'une seule paire d'yeux à la fois peut en contempler un ». Dans *Splendeurs et misères des courtisanes* (1838) de Balzac, Esther Gobseck écrit dans sa dernière lettre à Lucien de Rubempré : « J'ai devant moi ton délicieux portrait fait par Madame de Mirbel. Cette feuille d'ivoire me consolait de ton absence, je la regarde avec ivresse en t'écrivant mes dernières pensées, en te peignant les derniers battements de mon cœur [73]. » Dans la nouvelle de Kate Chopin intitulée *The Locket* (1897), ce bijou est perçu comme un talisman par le jeune soldat Edmond, auquel Octavie avait donné « ce qu'elle avait de plus précieux au monde » lorsqu'ils s'étaient séparés : « un médaillon en or démodé, comportant les portraits en miniature de son père et de sa mère ainsi que leurs deux noms et leur date de mariage ».

Dans la vie réelle, les femmes portaient également les portraits en miniature des êtres qui leur étaient chers, et notamment de ceux

297, 298 *ci-contre* Deux bracelets en or articulés et conçus comme des pendants, chacun comprenant les portraits en miniature de sept des petits-enfants de la duchesse de Kent. Ce bracelet fut offert à la duchesse pour son soixantième anniversaire par la reine Victoria et le prince Albert. Miniatures de William Ross (1794–1860) et de Guglielmo Faija (1803–après 1861), 1846 ; monture de même époque. L. 20 cm.

qui, fort nombreux, périrent au cours des guerres napoléoniennes [301, 302]. Lord Castlereagh, diplomate et héritier du marquis de Londonderry, envoya à son épouse Emily le portrait en miniature entouré de diamants que lui avait donné le roi de Naples : « Très chère Em, je vous envoie un affreux visage et quelques jolis diamants qui seront les vôtres plutôt que ceux de Sa Majesté des Deux-Siciles. » Elle retira la miniature et la remplaça par un portrait de son bel époux, qu'elle porta ensuite en pendentif dans toutes les grandes occasions [74]. Au XXe siècle, l'épouse du septième marquis de Londonderry porta en milieu de bracelet un portrait en miniature du marquis doté de la même monture [300].

Amitiés personnelles, liaisons amoureuses, mariages et naissances étaient l'occasion d'offrir des portraits en miniature, et la désinvolture avec laquelle les femmes britanniques les arboraient surprenait les étrangers. Lady Oxford fit scandale en 1815 en se promenant dans les rues de Naples avec, à sa ceinture, un portrait en miniature de lord Byron [75]. Une autre lady porta avec plus de discrétion une miniature représentant l'œil gauche du poète,

299 Bracelet de cheveux comportant en son milieu une miniature encadrée de feuilles en or et représentant un œil de la princesse Augusta de Leuchtenberg (1788–1851), v. 1820–1830. Milieu de bracelet : 47 x 37 mm.

entourée de diamants et montée en médaillon [304]. La popularité des héros militaires – celle de Nelson après Trafalgar et du duc de Wellington après Waterloo, par exemple – ou d'hommes politiques tels que Charles James Fox est attestée par les miniatures qui les représentent et qui, montées en bijoux, s'accompagnent généralement des palmes ou des lauriers de la victoire.

Les portraits en trompe-l'œil étaient peints de manière à donner l'illusion d'un camée, de sorte que le modèle ressemblait à un Romain ou un Grec de l'Antiquité. Cornélie van Wassenaer, dame d'honneur de la reine des Pays-Bas d'origine russe Anna Pavlovna, fut impressionnée par un de ces portraits à Saint-Pétersbourg en 1824–1825 : la comtesse Yulia Pahlen [305], fiancée au comte Samoïlov, « port[ait] un magnifique châle en cachemire vert glauque, qu'il lui a[vait] offert, [et] un bracelet avec, sur le fermoir, un buste à l'antique [de son fiancé], peint en grisaille mais ressemblant à un camée [76] ».

Quant à la monarchie russe, elle continua de distribuer à titre honorifique des portraits en miniature montés sur des bagues, des médaillons, des insignes ou des tabatières [306, 307, 309], tout du moins jusqu'au règne d'Alexandre II [308]. La marquise de Londonderry, extrêmement flattée de recevoir le portrait de l'impératrice lors d'une visite en Russie en 1837, décida de le porter ostensiblement au bras droit de manière à ce que tout le monde vît cette suprême distinction [77]. Une évolution intéressante est alors à noter : la distribution d'insignes dynastiques comportant les portraits en miniature de deux ou trois tsars. En tant que cadeaux officiels, les bagues à portrait devinrent petit à petit plus rares jusqu'au règne de Nicolas II, au cours duquel seuls quatre récipiendaires sont répertoriés. Le portrait du souverain était alors le plus souvent inséré dans le couvercle d'une tabatière ou dans un beau cadre à poser sur une table, les membres de la famille impériale continuant bien sûr à s'offrir des portraits

300 Portrait en miniature du septième marquis de Londonderry (1878–1949), entouré de diamants et monté sur un bracelet en or. Cette monture encadrait autrefois le portrait en miniature d'un de ses ancêtres, le deuxième marquis de Londonderry (1769–1822), également connu sous le nom de lord Castlereagh. Les décorations que porte ici le septième marquis lui furent remises pour faits de guerre et services rendus à son pays et au sein de diverses institutions nationales.

301, 302 Avers et revers d'un médaillon en or comportant un portrait en miniature de William George Crofton, capitaine d'infanterie de l'armée britannique qui avait préféré en avril 1814, au cours de la guerre d'Espagne, mourir à son poste plutôt que de se rendre. La miniature fut peinte lors d'une permission du capitaine. Au revers du médaillon, des mèches de ses cheveux, formant les palmes de la victoire, entourent une bordure en semences de perles encadrant elle-même un paysage représenté sur un verre opalescent. Dans ce paysage figurent un tombeau et une colombe retournant à son nid. Miniature d'Horace Hone (1754/1756–1815) et monture, 1814. H. 72 mm.

303 *ci-contre* Portrait de la duchesse d'Hamilton par sir Francis Grant. Elle porte un bracelet comprenant un portrait en miniature de son époux – onzième duc d'Hamilton – ou de leur fils.

304 Cette miniature, bordée de diamants, représente l'œil gauche de lord Byron (1788–1824). Un autre poète, Samuel Taylor Coleridge, fit part de son admiration pour les yeux clairs et lumineux de Byron, ces « portes ouvertes sur le soleil, objets de lumière faits pour la lumière ». 22 x 26 mm.

en miniature à l'occasion de leurs fiançailles, de leur mariage et d'autres événements personnels importants [310–312].

Une autre innovation, introduite en 1908 par Carl Fabergé, fut le portrait sur colonne à poser sur une table, la miniature étant montée au centre, entourée de diamants et sommée d'une couronne. On n'en connaît que cinq exemplaires [313]. La colonne en or cannelé, agrémentée de feuilles de laurier et sommée de l'aigle impérial couronné [313], avait en soi une dimension politique puisqu'elle présentait comme inébranlables trois vertus du monarque : son courage, sa puissance et sa constance [78]. Des miniatures ornent également quelques-uns des œufs de Pâques spectaculaires réalisés par Fabergé pour la famille impériale. Certaines étaient cachées à l'intérieur, telles des surprises. Ce fut le cas des portraits en miniature du tsar Nicolas II, de la tsarine et de leur fille aînée, insérés dans des cœurs sertis de diamants, eux-mêmes logés à l'intérieur d'un trèfle (1897) ; de trois autres portraits sommés de la couronne impériale, dissimulés à l'intérieur de « l'œuf au muguet » (1899) [314] ; et d'un portrait en grisaille des cinq enfants, caché à l'intérieur de « l'œuf en mosaïque » (1914). D'autres miniatures étaient placées à l'extérieur, sur la coquille. Sept portraits – ceux des parents et des enfants – ornent ainsi « l'œuf du quinzième anniversaire » (1911) ; et deux autres – ceux du tsar et de son fils – (1911) sont dissimulés, sur une coquille, sous des couvercles en or, émaillés l'un d'un médaillon portant la croix de l'ordre de Saint-Georges, l'autre d'une médaille du même ordre (1916) [315].

La photographie, privilégiée pour le degré de ressemblance et la justesse d'expression du visage, prit tout naturellement place dans les bijoux à la mode peu après son invention en 1839. Un des premiers exemples de bijou comportant une photographie nous est fourni par le registre comptable de 1843 de Jules Fossin, dans lequel est en effet mentionnée une épingle avec un petit daguerréotype réalisée pour un certain Monsieur Mignon. À partir des années 1860, des clients lui achetèrent « une bague en forme d'étoile sertie de

305 *ci-contre* Portrait de la comtesse Yulia Pavlovna Samoïlova (1803–1875) par Charles Benoît Mitoir, v. 1825. Le bracelet en or de la comtesse comporte en son milieu un portrait de son époux, le comte Samoïlov, peint en émail de manière à donner l'illusion d'un camée.

306 *ci-contre* Portrait du comte Alexeï Andreïevitch Arakcheïev (1769–1834), peint en 1824 par George Dawe pour la Galerie militaire du Palais d'hiver de Saint-Pétersbourg. Dans ce portrait, le comte, général et homme d'État russe, porte un portrait en miniature de l'empereur Alexandre Ier.

307 Boîte en or dont le couvercle est orné d'une miniature représentant l'empereur de Russie Alexandre Ier (1777–1825) en uniforme et avec le cordon et l'étoile de l'ordre de Saint-André. Le portrait est entouré de fleurs et de feuilles en or finement travaillé. Cette boîte fut offerte en 1804–1805 à lord Granville, ambassadeur de Grande-Bretagne à Saint-Pétersbourg. Miniature de Domenico Bossi (1767–1858) ; boîte d'Otto Samuel Keibel (1768–1809), Saint-Pétersbourg, v. 1801–1805. 98 x 83 mm.

308 Portrait en miniature de l'empereur de Russie Alexandre II (1818–1881), bordé de diamants en rose et monté en médaillon. L'empereur, représenté en uniforme, porte des décorations et le cordon de l'ordre de Saint-André. Saint-Pétersbourg, v. 1870–1880. 31 x 25 mm.

309 *ci-contre* Portrait du comte Fedor Logginovitch ou comte van Heyden (1821–1900), gouverneur général de Finlande de 1881 à 1898. Dans ce portrait peint par Fredrik Ahlstedt, le comte porte fièrement des décorations comportant les portraits en miniature des empereurs Alexandre II et Alexandre III ainsi que les insignes de divers ordres militaires.

310 Portrait en miniature, bordé de perles, de l'impératrice de Russie Maria Feodorovna (1847–1928). Celle-ci porte un diadème en forme de *kokochnik*, assorti d'un voile, ainsi que le cordon bleu de l'ordre de Saint-André. La monture en or guilloché, en forme de cœur, a été émaillée rouge. L'impératrice offrit ce portrait à sa sœur, la princesse Thyra de Danemark, duchesse de Cumberland, en 1905 pour Noël. Miniature de Johannes Zehngraf (1857–1908), Saint-Pétersbourg, 1890 ; monture de Mikhail Perkhin (1860–1903) pour la maison Fabergé, Saint-Pétersbourg. H. 75 mm.

311 Portraits en miniature de l'empereur de Russie Nicolas II (1868–1918) et de l'impératrice Alexandra Feodorovna (1872–1918), montés en broche. Les deux portraits, entourés de diamants, sont reliés par un saphir et un ruban serti de diamants. Broche fabriquée à l'occasion de leur mariage en 1894. Monture de Mikhail Perkhin pour la maison Fabergé. 35 x 39 mm.

312 Étui à cigarettes émaillé de rayures vertes et mauves, avec les portraits en miniature d'Elena Vladimirovna (1882–1957), grande duchesse de Russie, et du prince Nicolas de Grèce (1872–1938). Ceux-ci ont été placés de part et d'autre d'une flèche de Cupidon qui, ornée en son extrémité de feuilles de myrte, fait allusion au mariage de la duchesse et du prince. Miniatures de Johannes Zehngraf ; étui de Mikhail Perkhin pour la maison Fabergé, 1902. L. 99 mm.

313 *ci-contre* Colonne de table comportant un portrait en miniature de l'empereur de Russie Nicolas II. Elle fut offerte au comte August zu Eulenburg, premier maréchal à la cour impériale allemande. Miniature de Vassily Zuiev (1870–v. 1917) ; colonne d'Henrik Wigström (1862–1923) pour la maison Fabergé, 1910.

diamants en rose » ainsi que des bracelets et des médaillons qui comportaient certes des photographies mais présentaient des décors semblables aux bijoux composés de portraits en miniature [316, 317]. La photographie ne tarda pas à être adoptée par les monarques. En 1853, la reine Victoria offrit à lady Caroline Barrington un bracelet en or « au centre duquel figuraient les photographies des princes Arthur et Léopold » ; à sa demoiselle d'honneur, Miss Stopford, « un bracelet en or gravé, contenant des photographies des princesses Alice et Helena » ; et, à la princesse Mary de Cambridge, « un bracelet en or et platine comprenant une photographie du prince Léopold ». En 1858, la reine fit insérer un portrait en miniature du prince Albert peint en 1840 et une photographie de leur fille aînée, Victoria, dans un médaillon en or monté en bracelet et décoré de myosotis, de pensées et d'un trèfle à quatre feuilles pour marquer le fait que le prince Albert était sorti indemne d'un accident [79]. Juste avant de mourir, ce dernier fit fabriquer en souvenir de sa belle-mère, la duchesse de Kent, un bracelet dans lequel une photographie de celle-ci, peinte à la main, était entourée d'un serpent de perles [318] [80]. Au mois de mai 1862, trois mois après le décès du prince Albert, la reine Victoria demanda à la maison Garrard de monter une photographie de lui sur un fermoir de bracelet comprenant par ailleurs une couronne en or en relief. D'autres commandes suivirent. La forme que revêtirent alors les bijoux comportant le portrait de la reine trahit le chagrin dans laquelle l'avait plongée la mort de son époux, comme le montre une broche avec une photographie d'elle en habit de deuil, entourée d'une couronne d'épines [319]. Sur ce bijou, offert à la duchesse d'Aumale pour son anniversaire, figure l'inscription suivante : DE VOTRE MALHEUREUSE SŒUR ET AMIE / VR / 26 AVRIL 1863. La même année, le magazine *The Queen* publia un article dans lequel on pouvait lire ceci :

> Le portrait photographique semble être aujourd'hui un des ornements les plus à la mode : très petit, il est monté en

314 « L'œuf au muguet », avec les trois miniatures qu'il renferme exposées au regard. Celles-ci représentent Nicolas II en uniforme et ses deux aînées, les grandes-duchesses Tatiana et Olga. L'empereur offrit cet œuf à son épouse, l'impératrice Alexandra Feodorovna, en 1898 pour Pâques. Miniatures de Johannes Zehngraf ; œuf de Mikhail Perkhin pour la maison Fabergé. H. 20 cm.

315 « L'œuf à la croix de Saint-Georges », offert par Nicolas II à sa mère, l'impératrice douairière Maria Fedorovna, en 1916 pour Pâques. Sur cette face, un portrait en miniature de l'empereur apparaît sous un médaillon comportant la croix de l'ordre de Saint-Georges ; sur l'autre, un portrait en miniature de son fils, le tsarévitch, figure sous une médaille de l'ordre. Miniaturistes inconnus ; orfèvre de la maison Fabergé. H. (sans le pied) 84 mm.

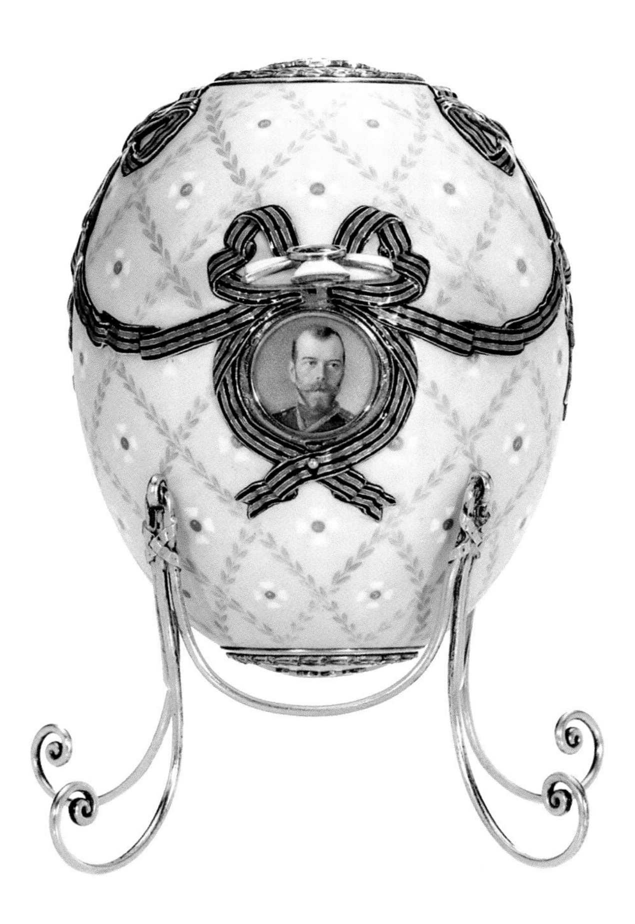

316, 317 Avers et revers d'un bijou comprenant une photographie du prince de Joinville (1818–1900) et une boucle de ses cheveux. Celui-ci offrit ce bijou à sa maîtresse, l'actrice Rachel. La pendeloque en forme de flacon porte l'initiale de l'actrice, « R », et la devise « tout ou rien ». Photographie et monture, Paris, v. 1841.

318 Bracelet en velours créé en souvenir de la mère de la reine Victoria, la duchesse de Kent († 1861). Au centre figure une photographie de la duchesse, peinte et entourée d'un symbole d'éternité – un serpent en semences de perle qui se mord la queue. Ce fut le dernier cadeau que le prince Albert offrit à la reine Victoria. Création du prince Albert ; fabricant inconnu, Londres, 1861. DIAM. (milieu de bracelet) 20 mm.

319 Médaillon en argent comprenant une photographie de la reine Victoria en habit de deuil. Sur ce médaillon, entouré d'une couronne d'épines, figure une inscription s'adressant à la duchesse d'Aumale, à laquelle la reine offrit ce bijou le jour de son quarante et unième anniversaire, le 26 avril 1863. 18 x 15 mm.

> broche, en médaillon ou en bracelet. Il y a des broches et des médaillons à secret, conçus pour contenir quatre portraits, deux visibles dès qu'on ouvre le couvercle, et deux autres qui ne sont révélés qu'en actionnant un ressort imperceptible. Sur ces broches et médaillons, les plus belles montures sont celles composées de cordelettes entrelacées : l'une constituée de perles, l'autre d'or de différentes couleurs.

D'autres montures étaient ornées de motifs sentimentaux. C'est le cas du médaillon offert à la baronne Bloomfield par le roi et la reine de Hanovre, qui contenait leurs photographies, et était décoré d'un brin de myosotis serti de turquoises et de diamants [81].

On peut citer une autre innovation, également décrite dans le magazine *The Queen*, cette fois en 1865 :

> [Ces] bracelets consistant en un bandeau d'or enrichi de deux médaillons pouvant renfermer quatre portraits. Certains de ces médaillons étaient agrémentés d'émeraudes ; d'autres, de perles et de turquoises. L'un des bracelets que nous avons vus se composait d'un simple jonc d'or interrompu par deux fermoirs émaillés pourpres. L'un d'eux s'ouvrait et contenait cinq photographies. Les bracelets et les broches sont maintenant toujours conçus pour contenir des photographies, et les médaillons, qui s'ouvrent de diverses manières, peuvent renfermer jusqu'à une demi-douzaine de portraits.

Un médaillon de ce type fut légué par la duchesse de Talleyrand (1891) à sa petite-fille, Vera de Kaunitz : c'était un médaillon en or mat, quadrillé de petites pierres sur un côté et dans lequel avait été logé un portrait des parents de Vera. Les mariés, quand ils se faisaient photographier le jour de leur mariage, distribuaient leurs deux portraits à leurs proches en guise de souvenir. Ces portraits pouvaient être entourés de perles et de diamants, reliés par un lacs d'amour et montés en broches ou logés dans des médaillons qui, destinés à être montés en bracelets, avaient un couvercle orné de leurs chiffres. Les mères ou les grands-mères aimaient porter des broches ou des pendentifs en or comportant des photographies de leurs enfants ou petits-enfants reproduites en miniature et entourées de la pierre porte-bonheur de l'enfant représenté. Ces portraits photographiques pouvaient être insérés dans d'autres types de bijoux, comme les boutons de manchette [320], les breloques en forme de poids miniature [321, 322] et les montres qui, presque toujours à portée de main, avaient désormais des boîtiers conçus pour recevoir des photographies.

321, 322 *ci-contre* Cachet-médaillon en or, en forme de poids d'un *pud*. Ce médaillon renferme des photographies de la grande-duchesse Olga de Russie (1851–1926) et de son époux, Georges Ier de Grèce (1845–1913), prises au moment de leur mariage, en 1867. À la base du poids figure un cachet en lapis-lazuli portant l'insigne de l'ordre des Guelfes. Monture d'August Holmström (1828–1903) pour la maison Fabergé, 1867. H. 22 mm.

320 Paire de boutons de manchette en or constitués de médaillons. Sertis de saphirs en cabochon et de diamants formant des trèfles à quatre feuilles, ces médaillons renferment des photographies peintes des enfants du grand-duc Vladimir de Russie : les grands-ducs Kyrill, Boris et Andrei et leur sœur, la grande-duchesse Elena. Fabricant inconnu, Saint-Pétersbourg, v. 1883–1884. DIAM. 17 mm.

Pour répondre à cette demande de bijoux souvenirs, le joaillier londonien Joseph Heming proposa en 1900 dans *The Illustrated London News* des bagues serties de diamants comportant une minuscule photographie qui, couverte par un saphir blanc, créait l'illusion d'un portrait en diamant. La maison Heming s'engageait à réduire toute photographie aux dimensions de la bague. Il était tellement plus facile de reproduire une photographie qu'une miniature peinte à la main que ce nouveau support paraissait se prêter idéalement à la création de bijoux souvenirs. Certaines photographies, montées sur des bagues ou des broches, étaient bien visibles ; d'autres étaient dissimulées sous un couvercle émaillé noir. Pour la famille impériale russe, la maison Fabergé inséra une petite photographie d'Alexandre III dans un cadre émaillé noir, qui fut fixé sur une croix orthodoxe en or portant sa date de décès, « 20 x 94 », son chiffre et la couronne impériale [323].

La photographie avait désormais un tel succès, notamment auprès des amateurs après l'invention en 1890 de l'appareil photographique portable, qu'on demanda à Fabergé de fabriquer des cadres pour les nombreuses photographies de famille et d'amis destinées à prendre place sur une table, un bureau, une commode ou un piano à queue. Il y avait semble-t-il près d'une douzaine de cadres, la plupart de la maison Fabergé, sur le bureau de Nicolas II [82]. De nombreux motifs ornementaux rappellent le néoclassicisme de la période Louis XVI. On trouve en effet des palmettes, des feuilles d'acanthe ou de laurier, des guirlandes, des rubans, des nœuds à boucles ainsi que l'arc, le carquois et la torche enflammée de Cupidon sur des fonds émaillés ou en pierre dure. Parfois, des fleurs – des bleuets ou des lys – apparaissent soit au-dessus, soit de part et d'autre du portrait. Les cadres ont des formes variables, qui vont du cadre de type architectural – tel le chambranle de porte surmonté d'un fronton – à celui en forme de cœur ou de pare-feu, sans oublier les cadres simplement géométriques, circulaires, carrés, rectangulaires ou triangulaires [324]. La plupart des surfaces plates recevaient un décor de guillochis émaillé, assorti parfois d'effets moirés, pour lesquels la maison Fabergé avait une palette de 144 teintes, mais le joaillier utilisait également des pierres dures – aventurine, néphrite, cristal de roche et bowenite – rehaussées de diamants en rose et de rubis en cabochon. Le revers du cadre était généralement en ivoire, bien que la nacre ait aussi été employée pour les tout petits cadres. Des plus simples en bois aux plus luxueux, tous ces cadres sont techniquement parfaits, idéalement adaptés à leur fonction, et soutiennent la comparaison avec les plus belles pièces des maîtres du XVIIIe siècle.

323 Croix orthodoxe en or comportant une photographie de l'empereur de Russie Alexandre III (1845–1894), entourée d'une bordure noire. Monture de Mikhail Perkhin pour la maison Fabergé, 1894–1895. 46 x 21 mm.

324 Photographie de la princesse Thyra de Danemark, duchesse de Cumberland (1853–1933) et sœur de Maria Feodorovna, l'impératrice douairière de Russie. Cette photographie, bordée de perles, a été placée à l'intérieur d'un cadre triangulaire en argent doré, orné de rayons guillochés, émaillé vert, et aux sommets en pointe de flèche. Ce cadre fut offert à la princesse le jour de son anniversaire, le 29 septembre 1899, par sa nièce, la grande-duchesse Olga de Russie. Cadre de Johann Viktor Aarne (1863–1904) pour la maison Fabergé. H. 55 mm.

5 *Le diamant à portrait*
1613–1914

Alors que les miniatures à l'aquarelle sur ivoire ou vélin étudiées dans les chapitres précédents sont protégées par du cristal, il existe quelques rares miniatures recouvertes d'un diamant. Le dessus et le dessous du diamant sont plats, le dessus n'étant facetté que sur les côtés. Connus sous le nom de diamants à portrait, ces diamants proviennent du clivage d'octaèdres irréguliers. La lumière reflétée par les facettes du bord du diamant éclaire le portrait tandis que la surface limpide de la pierre, très finement polie, permet de le voir par transparence. Le diamant donne au portrait plus d'éclat que le cristal et attire le regard. Seule une pierre d'une extrême pureté permet d'obtenir cet effet magique.

325 *ci-contre* Portrait de John Churchill (1650–1722), premier duc de Marlborough, peint par sir Godfrey Kneller v. 1701 (détail). Dans ce portrait, le duc porte l'étoile et le ruban de l'ordre de la Jarretière. Suite à la victoire remportée par le duc à la bataille de Blenheim, la reine Anne offrit à la duchesse de Marlborough un portrait en miniature de son époux, recouvert d'un diamant à portrait.

Marie de Médicis, qui avait été élevée au milieu des splendeurs du palais Pitti à Florence et possédait, depuis qu'elle était mariée avec Henri IV, une magnifique collection de bijoux rehaussés de perles, de diamants et de pierres de couleur – achetés partout à travers l'Europe –, fut l'une des premières à être séduites par ces portraits recouverts d'un diamant. Ainsi fit-elle l'acquisition d'« une belle boîte de portraits enrichie de diamants » auprès du joaillier Paris Turquet. En 1613, elle régla la somme de 1 050 livres au joaillier allemand Gilbert Hessing pour une bague en or comportant deux portraits – l'un de son fils Louis XIII, l'autre de l'infante d'Espagne et future épouse de Louis XIII, Anne d'Autriche –, tous deux « recouverts d'un large diamant taillé à facettes [1] ». Selon un inventaire posthume établi en 1666, Anne d'Autriche possédait de son côté : des portraits en miniature insérés dans des boîtes en écaille de tortue ou en or émaillé ; un portrait en miniature entouré de diamants et monté en table de bracelet ; mais aussi « une table de bracelets d'un grand diamant plat, [avec] une mignature dessous et des petits diamans espais autour, prisée deux mil livres », qu'elle légua au plus jeune de ses deux fils, le duc d'Orléans ; et enfin, une bague sertie « d'un diamant sous lequel [était] le portrait du Roy deffunct », c'est-à-dire Louis XIII [2]. En Grande-Bretagne, parmi de nombreux portraits en miniature de Charles Ier montés en bagues, un seul est recouvert d'un diamant à portrait. Monté sur une bague et sommé d'une couronne, ce portrait du roi d'Angleterre – dont les initiales, CR, ont été gravées au revers – est protégé par un diamant triangulaire taillé en table, serti en argent [3].

Un portrait du grand-duc de Toscane Cosme III, connu pour son extrême raffinement et son goût du luxe, fut monté en bijou, sommé d'une couronne et doté lui aussi d'un diamant à portrait. Ce bijou est répertorié dans l'inventaire posthume de la dernière princesse Médicis, sa fille, l'électrice palatine Anne-Marie-Louise. Il y est décrit comme « un petit bijou à portrait avec, au centre, un portrait en miniature du grand-duc Cosme, recouvert d'un grand diamant plat au lieu d'un cristal, entouré de nombreux brillants, huit gros et les autres petits, et sommé de la couronne grand-ducale, enrichie de même de brillants [4] ».

Des bijoux comportant des diamants à portrait sont mentionnés dans d'autres documents du XVIIIe siècle. S'étant illustré au cours des campagnes contre Louis XIV, John Churchill [325], premier duc de Marlborough, reçut de précieux bijoux de tous les souverains d'Europe, y compris, dans son propre pays, de la reine Anne. Madame Delany écrivit à ce propos :

> Il est de notoriété publique qu'à l'annonce de la victoire de Blenheim, la duchesse de Marlborough (la fameuse), qui avait dit n'avoir jamais reçu de bijoux de la reine Anne, se vit offrir par celle-ci un portrait du duc de Marlborough recouvert d'un diamant plat et bordé de brillants, d'un coût de 8 000 livres ; c'est maintenant la fille du duc de Montagu, l'actuelle duchesse de Buccleuch, qui le possède [5].

Il devait s'agir du « portrait du duc de Marlborough recouvert d'un grand diamant et monté sur un bracelet constitué de quatre rangs de perles, d'une boucle sertie de brillants et d'une pendeloque » qui figure dans un inventaire [6] des bijoux de la duchesse et dont hérita ultérieurement l'une de ses filles, la duchesse de Montagu. Le diamant pourrait être celui illustré dans l'inventaire en question, bien que celui-ci y soit décrit comme faisant partie d'une bague [326]. Quant au bracelet, il fut à l'origine d'un drame, comme en témoigne une lettre de la duchesse de Marlborough dans laquelle, après avoir précisé que les montures de ce type pour les portraits en miniature venaient alors des Pays-Bas, où « c'est la mode de porter les portraits recouverts d'un diamant sur des bracelets, les fermoirs de ceux-ci étant conçus de manière à ce qu'il soit impossible de les perdre tant qu'on les a au poignet », elle expliquait les circonstances dans lesquelles son bracelet – « l'objet le plus beau et le plus agréable qu'[elle] ait jamais vu dans [s]a vie » – avait disparu et comment les soupçons s'étaient portés sur le valet de pied noir, Ned – qui fut ainsi accusé du vol et emprisonné. Elle mentionne ensuite les sentiments contradictoires qui l'assaillirent quand le bracelet fut retrouvé :

> Alors que je m'étais imaginé que je serais prête à en donner deux fois sa valeur, au lieu d'être heureuse quand on me le rapporta, je ne pus m'empêcher de fondre en larmes en pensant à quel point j'avais fait du tort à un innocent, et dès que j'eus repris mes esprits, j'envoyai chercher le valet de pied et lui donnai cinquante pistoles en dédommagement des désagréments qu'il avait connus en prison, lui assurant en même temps que, s'il renonçait à un de ses grands défauts, la boisson, je serais très aimable envers lui [7].

Les bijoux dotés d'un diamant à portrait sont cependant très rares et l'on ne peut croire que la duchesse en lança la mode. Au nombre de ceux qui sont parvenus jusqu'à nous figure une broche des années 1770 dont on ignore la provenance. Créée en souvenir d'un défunt, cette broche ronde émaillée bleu roi porte en son centre, sous un diamant à portrait, une miniature représentant un jeune garçon, insérée à l'intérieur d'une urne flanquée de chutes de feuillage serties de diamants [327].

Une reine d'Angleterre, Charlotte de Mecklembourg-Strelitz, épouse de George III, arborait un portrait en miniature de son époux monté en bague et protégé par un diamant [329]. Cette bague faisait partie des cadeaux reçus par la reine en 1761 pour son mariage [8]. Deux pendentifs, conçus comme des pendants et commandés à Richard Cosway par le prince de Galles, sont

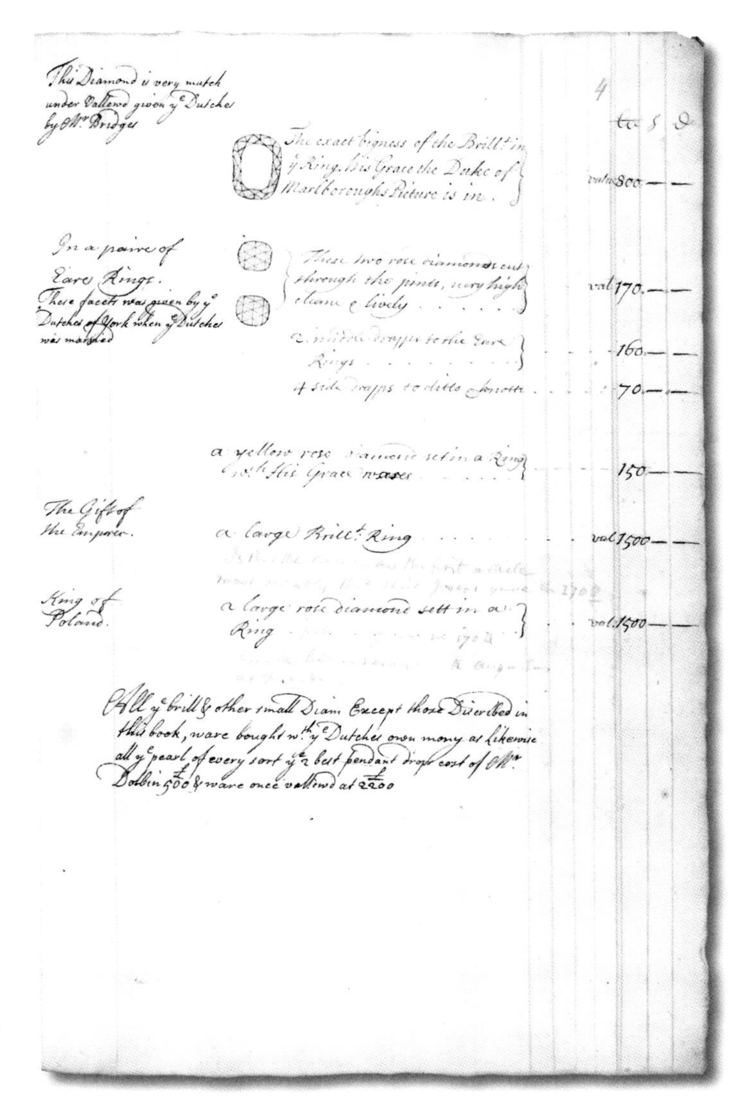

This Diamond is very match under valewd given ye Dutches by Mr Bridges

The exact bigness of the Brillt in ye Ring. His Grace the Duke of Marlboroughs Picture is in. — valu 800

In a paire of Eare Rings. These faccets was given by ye Dutches of York when ye Dutches was married

These two rose diamonds cut through the pints, very high cleane & lively — val 170

2 middle drapps to the Eare Rings — 160

4 side drapps to ditto — 70

a yellow rose diamond set in a Ring with His Grace — 150

The Gift of the Emperor. — a large Brillt Ring — val 1500

King of Poland. — a large rose diamond sett in a Ring — val 1500

All ye brill & other small Diam Except those Discribed in this book, ware bought wth ye Dutches own mony as likewise all ye pearl of every sort ye 2 best pendant drops cost of Mr Dolbin £500 & ware once vallewd at £2200

326 Page extraite de l'inventaire des bijoux de la duchesse de Marlborough. En haut figure le dessin d'un diamant qui recouvrait un portrait de son époux monté en bague.

encore plus remarquables : l'un s'accompagne d'un portrait en miniature du prince en armure ; l'autre, d'un portrait de Maria Fitzherbert, que le prince épousa morganatiquement en 1785. Chacun de ces portraits est entouré de diamants et protégé par l'une des deux moitiés d'un même diamant [328]. Le prince de Galles demanda dans son testament, établi en 1796, que la « compagne qui ne l'avait jamais quitté, à savoir la miniature représentant [s]on épouse bien-aimée, Madame Fitzherbert, [fût] enterrée avec [lui], suspendue à un ruban passé autour de [s]on cou et placée sur [s]on cœur comme [il] avait [eu] l'habitude de la porter de [s]on vivant ». Son exécuteur testamentaire, le duc de Wellington, après s'être assuré de la présence de cette miniature autour du cou du défunt, suivit ces instructions. Le bijou qui faisait pendant à celui-ci et appartenait à Madame Fitzherbert passa ensuite dans la famille de sa fille adoptive, Madame Dawson Damer, dont la fille épousa le comte Fortescue [9].

Selon les factures de la maison Rundell, Bridge & Rundell, le prince de Galles, futur George IV, acquit en 1800 « une bague à portrait sertie de brillants jaunes avec un ressort secret et une tresse de cheveux » et « un médaillon serti de brillants avec un diamant à portrait au centre, un ressort secret donnant accès à une tresse de cheveux, 16 brillants pour la bélière et 8 diamants en rose » ; en 1813 vint s'ajouter « une bague avec un curieux diamant à portrait » [10]. Alors que ces bijoux ont disparu, une autre miniature recouverte d'un diamant à portrait, et exécutée d'après le portrait peint par sir Thomas Lawrence après l'accession du prince au trône, fut remontée au cours du siècle par le joaillier londonien Carlo Giuliano sur une broche émaillée en forme d'écu [330]. Au moins deux autres monarques anglais commandèrent des bagues avec des diamants à portrait : Guillaume IV [331] et Édouard VII [332], tous deux probablement à l'occasion de leur couronnement.

Il est fait référence ici ou là à quelques diamants à portrait ayant appartenu à l'aristocratie française. En 1780, par exemple, la

327 Broche créée en souvenir d'un défunt, émaillée bleu roi et bordée de diamants. Au centre figure, sous un diamant plat, une miniature représentant un jeune garçon, elle-même entourée de diamants et insérée dans une urne sur laquelle retombent des feuillages. Fabrication anglaise, années 1770. DIAM. 45 mm.

328 Ce médaillon, qui comporte un portrait en miniature du prince de Galles George (futur George IV, 1762–1830) recouvert d'un diamant à portrait et entouré de diamants, fut offert par le prince à son épouse, Madame Fitzherbert. Miniature de Richard Cosway (1742–1821), 1785 ; monture de même époque, H. 38 mm.

329 Bague dans laquelle un portrait en miniature du roi de Grande-Bretagne et d'Irlande George III (1738–1820) a été placé sous un diamant et entouré de diamants. Le roi offrit cette bague à sa future épouse, la reine Charlotte, qui la porta le jour de leur mariage. Miniature de Jeremiah Meyer (1735–1789), 1761 ; monture de même époque. 12 x 10 mm.

330 Broche au centre de laquelle un portrait en miniature de George IV, peint d'après sir Thomas Lawrence, a été recouvert d'un diamant à portrait et entouré d'une monture émaillée, enrichie de diamants. Miniature, après 1820 ; monture de Carlo Giuliano (1731–1795), v. 1880. DIAM. 34 mm.

331 *ci-contre, en haut* Bague à l'épaulement souligné de brillants, dans laquelle un portrait en miniature du roi de Grande-Bretagne et d'Irlande Guillaume IV (1765–1837) a été placé sous un diamant à portrait et entouré de brillants. Probablement 1831.

332 *ci-contre, en bas* Bague à médaillon dans laquelle un portrait en miniature du roi de Grande-Bretagne et d'Irlande Édouard VII (1841–1910) a été placé sous un diamant à portrait et flanqué de la couronne et du chiffre du roi, visibles sur l'épaulement. Miniature et monture, 1901.

maréchale de Richelieu acheta à Ange-Joseph Aubert « un médaillon d'un portrait entouré de 16 forts brillants avec un brillant très fort au-dessus, s'ouvrant ». Madame de Genlis a rapporté une histoire ayant trait à un portrait en miniature du prince de Conti, un homme « rempli d'humanité » : une amie lui ayant demandé son portrait en miniature et accepté qu'il le fît monter à condition que ce fût sur la plus simple des bagues, il choisit la monture en or la plus simple possible mais fit recouvrir le portrait d'un diamant plat. Embarrassée, cette amie conserva le portrait en miniature mais renvoya le diamant. Le prince de Conti fit alors réduire le diamant en poudre et écrivit à son amie une lettre sur laquelle il répandit, pour sécher l'encre, cette poudre de diamant [11].

On répertorie également une broche très élégante, peut-être d'origine française. Elle se compose de trois portraits en miniature – celui d'une jeune femme entouré des portraits de deux gentilshommes, l'un de profil et l'autre de trois quarts –, chacun placé sous un diamant à facettes, entouré d'un ou plusieurs rubans de diamants et sommé d'un nœud à une ou deux boucles [335–337]. Les trois éléments peuvent être portés séparément, le portrait de la jeune femme en médaillon et ceux des deux gentilshommes, sous lesquels figurent des rameaux feuillus, en boucles d'oreille. Bien qu'on ignore la provenance de ce bijou, sa très haute qualité et la réunion de trois diamants à portrait pourraient indiquer un commanditaire du plus haut rang – un Russe peut-être.

Une autre commande d'une série de diamants à portrait fut passée par le prince Nicolas Esterházy. Celui-ci, autocratique et extravagant, censé être le sujet le plus riche d'Europe et par ailleurs connu pour sa collection de bijoux enrichis de perles et de diamants, refusa la couronne de Hongrie que lui proposait Napoléon. Le couvercle de la tabatière que le prince Nicolas commanda à Pierre-André Montauban à Paris est orné des

333 *ci-dessous* Bague comportant, sous un diamant à portrait, le portrait en miniature d'une jeune femme, v. 1780. Cette miniature est entourée de deux bordures de diamants, la bordure extérieure ayant été ajoutée ultérieurement.

334 *ci-contre* Tabatière dont le couvercle comporte cinq portraits en miniature – ceux du prince Nicolas Esterházy (1765–1833), de son épouse, de ses deux fils et de sa fille –, chacun étant recouvert d'un diamant à portrait et encadré d'une bordure en or ciselé, soulignée d'émail bleu roi et entourée de diamants. Miniatures de l'école autrichienne ; tabatière de Pierre-André Montauban (actif 1804– 1820), v. 1805. L. 80 mm.

portraits en miniature de lui-même, de son épouse et de leurs trois enfants, chacun recouvert d'un diamant à portrait [334]. Le portrait en miniature d'une jeune femme, de même dimension que ceux des Esterházy mais monté individuellement sur une bague, fut également recouvert d'un diamant lui-même entouré de diamants. Bien plus tard, l'importance accordée à ce bijou fut soulignée par l'ajout d'une bordure de diamants plus gros [333].

Après le mariage de Napoléon avec Marie-Louise en 1810, le joaillier officiel de l'empereur, François-Regnault Nitot, remit au goût du jour le diamant à portrait. Il en inclut dans la parure de diamants qu'il créa pour l'impératrice et qui fut considérée comme la plus belle de tout le XIXe siècle. L'impératrice porte le diadème, le peigne, les boucles d'oreille à trois pendeloques, le collier et la ceinture de cette parure dans le célèbre portrait peint par Robert Lefèvre en 1812. Les deux bracelets de cette parure, qui n'apparaissent pas dans le tableau, étaient constitués de rangs de diamants au milieu desquels figuraient deux portraits en miniature, sans doute ceux de Napoléon et de son fils, le roi de Rome. Ces portraits, entourés de diamants, étaient aussi recouverts de diamants « taillés pour recevoir [des] portraits » et pesant respectivement 9,1 et 6,83 carats. « Ces deux pierres uniques et par leur forme et par leur pureté, assorties si parfaitement, éta[ie]nt au-dessus de toute comparaison avec les autres brillans. » En 1887, à la vente des joyaux de la couronne de France, le plus petit des deux diamants fut vendu tandis que le plus gros était donné, sans la miniature, au Muséum d'Histoire naturelle de Paris.

C'est peut-être après avoir vu les bracelets de l'impératrice que le roi de Bavière Maximilien Ier, très francophile, commanda deux bracelets similaires. Sur l'un figurait, au milieu, un portrait en miniature du roi, et sur l'autre, un portrait en miniature de sa seconde épouse, Caroline de Bade, chacun étant recouvert d'un diamant et entouré de diamants [339, 340]. Seuls quelques

335–337 Vues d'une broche en or et argent (avec deux de ses éléments présentés séparément), qui se compose des portraits en miniature d'une jeune femme et de deux gentilshommes, chacun placé sous un diamant à portrait et entouré d'un ou deux rubans de diamants. Sous les portraits des deux gentilshommes figurent des rameaux feuillus complétés par une pendeloque de diamants, tandis que celui de la jeune femme est encadré de diamants. Les deux portraits masculins, qui sont amovibles, peuvent être portés en boucles d'oreille, et celui de la jeune femme en médaillon. Miniatures et monture françaises ou russes, v. 1760. L. 58 mm.

338 *ci-dessous* Bague en or dans laquelle un portrait en miniature de l'empereur de Russie Pierre le Grand (1682–1725) a été recouvert d'un diamant plat de couleur rose. Miniature de J. G. Danhauer, début du XVIIIe siècle ; monture de même époque, Saint-Pétersbourg. 16 x 20 mm.

339, 340 *ci-contre* Deux bracelets de perles conçus comme des pendants, l'un présentant en son milieu un portrait en miniature du roi de Bavière Maximilien Ier (1756–1825), l'autre un portrait en miniature de sa seconde épouse, Caroline de Bade (1776–1841). Les deux miniatures sont protégées par un diamant à portrait et entourées de diamants. Miniatures de Josef Heigel (1780–1837), v. 1800.

joailliers français reçurent par la suite des commandes portant sur des bracelets aussi luxueux. Une pièce exceptionnelle fut cependant fabriquée en 1852 par Jules Fossin pour la duchesse de Galliera, une femme immensément riche d'origine italienne. Ce spectaculaire milieu de bracelet, émaillé bleu et enrichi de diamants, comportait un portrait et « un gros brillant couvrant le portrait » [12].

La Russie adopta elle aussi le diamant à portrait. La pièce la plus ancienne de ce type est une bague en or toute simple sur laquelle un diamant plat de couleur rose, maintenu par des griffes, recouvre un portrait en miniature de Pierre le Grand peint par l'artiste allemand J. G. Danhauer [338]. Quelques-uns des portraits en miniature offerts par l'impératrice de Russie Catherine II comme insignes de fonction ou bien en gage d'estime et d'amitié devaient être protégés par un diamant, mais tous ne firent certainement pas autant impression sur Catherine Wilmot que celui porté par le comte Alexis Orlov-Tchesmenski, le frère du favori de l'impératrice, Grégoire Orlov : « C'est un monstre en apparence, il est d'une telle puissance que j'en frémis. Il porte un portrait en miniature de l'impératrice entouré de diamants d'une dimension énorme et, au lieu d'un verre, c'est un diamant qui recouvre le portrait [13]. »

La prodigalité proverbiale des Russes se trouve parfaitement illustrée par le plus grand diamant à portrait connu à ce jour, un diamant plat de 25 carats connu sous le nom de Tafelstein, qui recouvre une miniature représentant en pied Alexandre Ier vêtu de l'uniforme militaire qu'il porte avec beaucoup d'élégance. Peinte sur ivoire, cette miniature a la forme d'un triangle irrégulier comme la pierre merveilleusement transparente qui la protège [341]. Insérée au milieu d'un bracelet en or, elle a été dotée d'un cadre de style gothique, émaillé de couleurs vives, qui se compose d'arcs en ogive surmontés de pinacles, flanqués de niches

341 Bracelet émaillé de style gothique avec, au milieu, un portrait en miniature de l'empereur de Russie Alexandre Ier (1777–1825), placé sous un diamant à portrait de 25 carats connu sous le nom de Tafelstein. Miniature d'Ivan Winberg (actif 1825–1846) d'après George Dawe. 40 x 29 mm.

et garnis de trilobes, de quadrilobes, de fleurs et de feuilles. Une autre miniature représentant l'empereur – toujours en uniforme mais cette fois figuré en buste – a été recouverte d'un diamant de 22 carats de forme irrégulière, très pur et très beau, et bordée de brillants. Monté en médaillon, ce portrait était destiné à orner le milieu d'un bracelet de perles [342]. Un autre portrait en buste d'Alexandre Ier, monté en médaillon pour être porté en pendentif, a été protégé par un diamant oblong taillé en ciseaux et entouré d'une double bordure, l'une constituée de petits brillants, l'autre de brillants plus gros. Le tout est encadré par un ruban et sommé d'un nœud à boucle [343]. De même, plusieurs bagues et un médaillon comportent des portraits en miniature du frère et successeur d'Alexandre Ier, Nicolas Ier, placés sous des diamants à portrait [344–346]. Dans ces miniatures, cet autocrate surnommé le « tsar de fer » est toujours vêtu de l'uniforme militaire. Bien que certains de ces bijoux aient peut-être servi de cadeaux officiels au tsar, on sait cependant qu'il en offrit au moins un à son épouse, l'impératrice Alexandra Feodorovna : dans l'une des vitrines qui tapissaient les murs de ses appartements privés était en effet exposé, au milieu de diamants de tailles variées, un gros diamant recouvrant un portrait de l'empereur [14].

Tous les tsars des générations qui suivirent commandèrent des bijoux comportant des diamants à portrait, notamment pour marquer leur couronnement. Des portraits d'Alexandre II, couronné en 1856, furent ainsi montés en broches [347, 348]. Plus tard dans le siècle, une broche de la maison Bolin de Saint-Pétersbourg fut offerte à la mère de la tsarine, la reine Louise de Danemark. Dans cette broche en forme de couronne impériale russe avaient été insérés, sous des diamants à portrait, un portrait en miniature d'Alexandre III – couronné en 1883 – et un autre de la tsarine Maria Feodorovna [349]. En 1888, toute la famille du tsar étant miraculeusement sortie indemne d'un accident ferroviaire,

342 Milieu de bracelet comportant, sous un diamant à portrait de 22 carats, un portrait en miniature d'Alexandre Ier. Miniature de Domenico Bossi (1767–1858), v. 1800. 32 x 28 mm.

344 Bague en or dans laquelle un portrait en miniature de l'empereur de Russie Nicolas Ier (1796–1855) a été inséré sous un diamant à portrait.

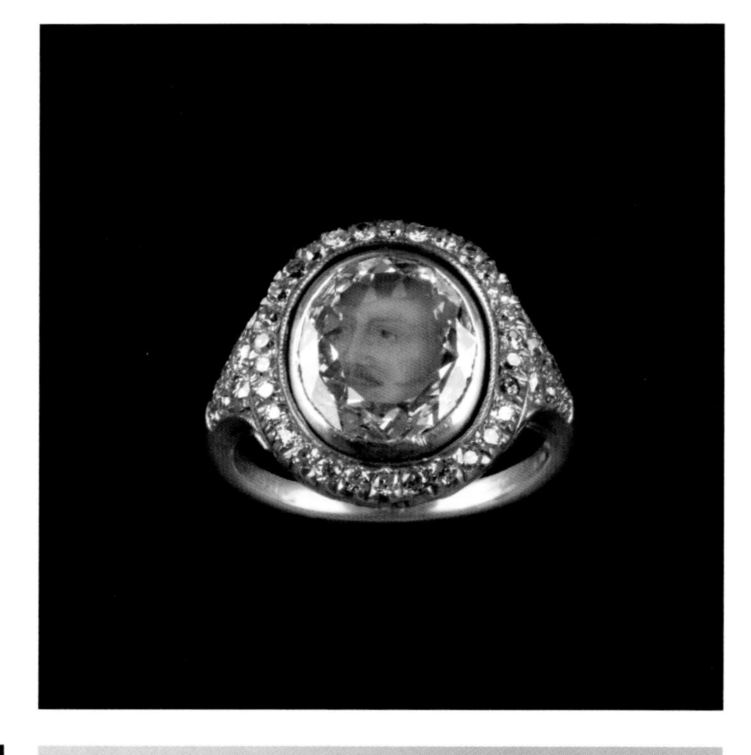

343 *ci-dessous* Médaillon comportant un portrait en miniature d'Alexandre Ier recouvert d'un diamant à portrait taillé en ciseaux et entouré d'une double bordure de diamants, elle-même encadrée d'un ruban et sommée d'un nœud à boucle. 36 x 28 mm.

345 *ci-dessous, à droite* Bague en or comportant un portrait en miniature de Nicolas Ier sous un diamant à portrait lui-même entouré de diamants. Miniature autrichienne de R. Theer ; monture, Saint-Pétersbourg, 1830. DIAM. 18 mm.

346 Médaillon au centre duquel figure un portrait en miniature de Nicolas Ier, recouvert d'un diamant à portrait. Celui-ci est bordé d'un décor de feuilles et de baies de laurier, lui-même entouré de diamants.

347 Pendentif composé d'un portrait en miniature d'Alexandre II (1818–1881), l'empereur de Russie qui abolit le servage. La miniature est protégée par un diamant à portrait, lui-même entouré de diamants. Sous le portrait, suspendu à une broche sertie d'un spinelle et de diamants, un ruban retient une pendeloque de perle.

348 Broche comportant, sous un diamant à portrait rectangulaire, un portrait en miniature d'Alexandre II, entouré de diamants roses ; le cadre extérieur en forme de losange, en or et argent, est serti de diamants de taille ancienne.

349 *ci-contre* Broche en forme de couronne impériale russe comportant un portrait en miniature de l'empereur de Russie Alexandre III (1845–1894) et un autre de l'impératrice Maria Feodorovna (1847–1928), encadrés de deux perles identiques. Chacune des miniatures est recouverte d'un diamant à portrait et entourée de diamants. Cette broche, commandée à l'occasion du couronnement d'Alexandre III à Moscou, fut offerte à la mère de la tsarine, la reine Louise de Danemark. Broche signée RS (Robert Schwan) pour C. E. Bolin (actif 1836–1864), Saint-Pétersbourg, 1883. L. 53 mm.

Alexandre III offrit à la tsarine une croix sertie de diamants avec, en son centre, un portrait en miniature du Christ inséré sous un diamant plat. Leur petit-fils, le prince Dimitri Romanov, hérita de cette croix [15]. Deux autres bijoux à portrait, un milieu de bracelet et un pendentif, comportent des portraits en miniature de deux frères d'Alexandre III, les grands-ducs Nicolas [350] et Vladimir [351].

Le tsar suivant, Nicolas II, désireux d'offrir à son épouse, Alexandra Feodorovna, un œuf de Pâques témoignant de ses sentiments pour elle, commanda en 1895 à la maison Fabergé « l'œuf à la rose » [352, 353]. Cet œuf, sur lequel les flèches de Cupidon sont ornées de guirlandes de fleurs, présente sur le dessus un portrait en miniature de l'empereur recouvert d'un grand diamant. À l'intérieur se trouve une rose, autre symbole de l'amour. Il suffit d'actionner un ressort pour que ses pétales s'ouvrent et laissent apparaître une couronne impériale [16]. Les quatre filles du couple impérial, Olga, Tatiana, Maria et Anastasia, qui furent souvent photographiées et représentées dans des tableaux, figurent en outre dans une série de portraits en minia-

350 Bracelet entièrement serti de diamants avec, au milieu, un portrait en miniature du grand-duc Nicolas (1843–1865), le frère aîné d'Alexandre III. Cette miniature, recouverte d'un diamant à portrait de 6 carats, est entourée d'une double bordure, l'une constituée de petits diamants et l'autre de douze brillants plus gros.

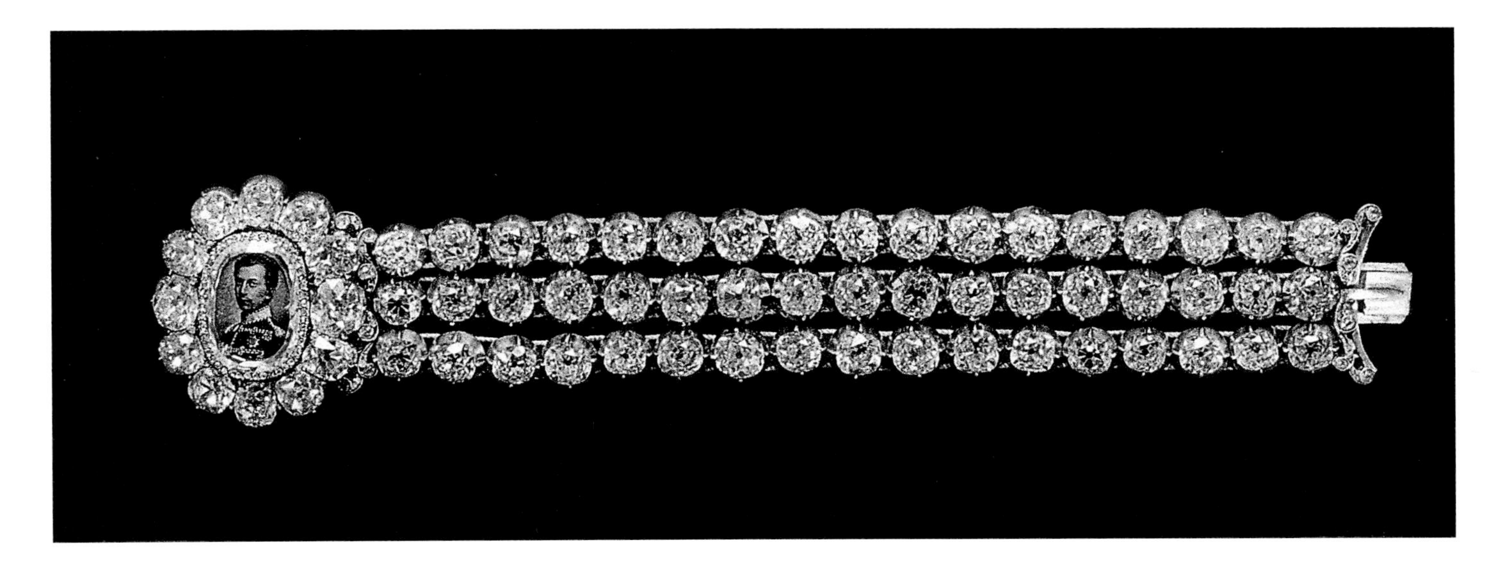

351 *ci-contre* Pendentif comportant un portrait en miniature du grand-duc Vladimir (1847–1909), protégé par un diamant à portrait, encadré de diamants et sommé d'une couronne impériale. 32 x 32 mm.

352, 353 Deux vues de « l'œuf à la rose », qui comporte à son sommet, sous un diamant à portrait, un portrait en miniature de l'empereur de Russie Nicolas II (1868–1918). L'empereur offrit cet œuf à l'impératrice en 1895 pour Pâques. Œuf de Mikhail Perkhin (1860–1903) pour la maison Fabergé. H. 68 mm.

ture recouverts de diamants à portrait, encadrés de brillants de taille ancienne et montés en pendentifs. La monture en or de chacun de ces pendentifs est cannelée au revers, et la bélière ornée d'un diamant [354]. Les portraits des deux aînées, Olga et Tatiana, ont des cadres en forme de cœur ; et ceux des deux plus jeunes, Maria et Anastasia, des cadres oblongs. Ces pendentifs, destinés à être portés individuellement ou ensemble autour du cou ou du poignet, c'est-à-dire suspendus à une chaîne ou à un bracelet, devaient appartenir à une personne très proche de la famille, à l'impératrice douairière par exemple, ou à une tante bien-aimée comme la grande-duchesse Olga. On peut difficilement trouver un souvenir plus personnel et plus émouvant de ces petites filles, si jolies et paraissant si heureuses, qui furent assassinées par les Bolcheviks en 1918. Datant de 1906 environ, ces portraits témoignent de la présence de diamants à portrait dans les bijoux de la famille impériale russe jusqu'au début du XXe siècle.

354 Pendentifs comportant chacun un portrait en miniature d'une des filles de Nicolas II et d'Alexandra Feodorovna. Chaque portrait est recouvert d'un diamant à portrait et encadré de brillants de taille ancienne, v. 1906. Les cadres en forme de cœur entourent les portraits des deux aînées, les grandes-duchesses Olga (1895–1918) et Tatiana (1897–1918) ; les cadres oblongs, ceux de Maria (1899–1918) et d'Anastasia (1901–1918).

Le portrait gravé sur diamant

Les portraits les plus rares sont ceux gravés sur diamant. La gravure sur diamant étant un art extrêmement délicat et demandant beaucoup de temps, peu de graveurs sur gemmes ont été sollicités, au cours des siècles, pour ce type de portraits. Selon certains auteurs, Jacopo da Trezzo – qui fit le portrait de Don Carlos, l'héritier de Philippe II [17] – et Clément Birague parvinrent à graver des portraits sur diamants dès 1564. Au XVIIIe siècle, un grand collectionneur, le baron Philip von Stosch, signala l'existence d'un portrait de Néron également en diamant, exécuté par le graveur romain Giovanni Costanzi [18]. Un autre portrait, celui du jeune empereur Habsbourg Léopold II, fut décrit dans le catalogue de la collection d'Henry Philip Hope, comme « un très bon portrait de ce monarque, provenant de sa propre collection [19] ».

Le défi fut relevé ensuite, au XIXe siècle, par des artisans anonymes qui réussirent à exécuter des intailles en diamant pour un pendentif et plusieurs bagues [20]. L'intaille de ce pendentif [355, 356] fut réalisée par la maison Verschuur van der Voort pour le roi des Pays-Bas Guillaume III, qui offrit ce bijou en 1879 à la princesse Emma de Waldeck-Pyrmont à l'occasion de leur mariage : consciente de sa valeur, elle le porta sur sa robe le jour de la cérémonie. Le portrait de profil de Guillaume III, gravé sur un diamant de 13/15 carats, est entouré d'une double bordure ajourée, sertie de diamants en rose, et sommée de rubans et d'une couronne royale rehaussée de rubis et d'émeraudes. Le médaillon, au revers duquel figure une petite cavité destinée à recevoir une mèche de cheveux, porte la signature du célèbre joaillier parisien Oscar Massin [21].

355, 356 *à droite* Avers et revers d'un médaillon comportant un portrait en intaille du roi des Pays-Bas Guillaume III (1817–1890), gravé sur un diamant par la maison Verschuur van der Voort, 1879 ; monture d'Oscar Massin.

NOTES

Les titres apparaissant dans la bibliographie sont donnés ici sous une forme abrégée.

Abréviations :
AN = Archives Nationales, Paris
BL = British Library, Londres
PRO = Public Record Office, Londres
RAW = Royal Archives, Londres

CHAPITRE I

[1] Baldassar Castiglione, *Le Livre du courtisan*, trad. A. Pons, Paris, Livre IV, XXII, p. 347.
[2] Shakespeare, *Hamlet*, trad. Y. Bonnefoy, Paris, 1988, p. 145.
[3] Shakespeare, *Richard II*, trad. G. Lambin, Paris, p. 147.
[4] Muller, *Jewels in Spain*, p. 49
[5] Babelon, *Jacopo da Trezzo*, p. 29.
[6] *Ibid.*, pp. 243–244.
[7] Nationalmuseum, Stockholm, Département des dessins.
[8] Sframeli, *I gioielli dei Medici*, p. 144, n° 73.
[9] Babelon, *Catalogue des camées antiques et modernes de la Bibliothèque Nationale*, n° 975.
[10] National Museums of Scotland.
[11] Henri IV se fit représenter en Hercule de manière à être assimilé à ce tueur de monstres, mais il adopta en outre la devise *Invia virtuti nulla est via* (« Il n'est pas de chemin inaccessible à la vertu »).
[12] *Brilliant Europe*, cat. d'exp., p. 144.
[13] Bimbenet-Privat, *Les Orfèvres et l'orfèvrerie de Paris au XVIIe siècle*, vol. II, n° 150, p. 429.
[14] Historical Manuscripts Commission, *The Manuscripts of His Grace the Duke of Rutland* (1905), p. 388.
[15] Strong, *Gloriana*, p. 168, note 71.
[16] BL, Londres, Royal ms. App. 68, n° 79.
[17] BL, Londres, Add. ms. 5751 A, fol. 218r–218v.
[18] *Ibid.*, fol. 229–235v.
[19] Strong, *Tudor and Jacobean Portraits*, I, p. 321, n° 1807, attribué à John Critz l'Ancien.
[20] *Princely Magnificence*, cat. d'exp., 1980–1981, n° 44.
[21] *The Art of Gem Engraving from Alexander the Great to Napoleon III*, cat. d'exp., n° 56.
[22] Sframeli, *I gioielli dei Medici*, pp. 112–113, n° 53–55.
[23] Kunsthistorisches Museum, Vienne.
[24] Pour un compte rendu de l'évolution du *Gnadenpfennig*, voir Börner, *Deutsche Medaillenkleinode des 16. und 17. Jahrhunderts*.
[25] Shakespeare, *Le Conte d'hiver*, trad. Y. Bonnefoy, Paris, 1994, p. 28.
[26] Lebel, « British–French Artistic Relations in the XVIth Century », pp. 274–276.
[27] Robertson, *Inventaires de la Royne Descosse Douairiere de France* , pp. 16 et 11.
[28] *Ibid.*, p. 123.
[29] *The Queen's Image*, cat. d'exp., p. 37, n° 20.
[30] Viel-Castel, « Commande de bijoux faite par la reine, Catherine de Médicis, à Dujardin, orfèvre du roi Charles IX », pp. 41–45.
[31] Fréville, « Notice historique sur l'inventaire des biens meublés de Gabrielle d'Estrées », p. 170 ; et L. Desclozeaux, *Gabrielle d'Estrées*, p. 292, pour l'aigrette comportant un portrait en miniature d'Henri IV.
[32] Babelon, *Lettres d'amour et écrits politiques*, n° 216.
[33] Bruel, « Deux inventaires de bagues, joyaux, pierreries et dorures de la reine Marie de Médicis (1609 ou 1610) », pp. 199–200, n° 45.
[34] Par exemple, deux bagues conservées au Kunsthistorisches Museum, à Vienne, qui portent chacune un portrait en miniature : celui de l'empereur Mathias et celui de l'impératrice Anne d'Autriche.
[35] *Letters and Papers Foreign and Domestic of the Reign of Henry VIII* (Londres, 1872), vol. IV, Pt II, n° 3169, 10 juin 1527.
[36] Scarisbrick, *Jewelry in Britain 1066–1837*, p. 65.
[37] BL, ms. Harl. 611, fol. 2b.
[38] *Ibid.*, fol. 3b.
[39] Strong, *Gloriana*, p. 10, cité d'après Horace Walpole, *Anecdotes of Painting.*
[40] *Ibid.*, p. 125.
[41] Scarisbrick, « Anne of Denmark's Jewelry Inventory », p. 215, n° 230.
[42] Strong, *Gloriana*, p. 30.
[43] Steene, *The Letters of Lady Arabella Stuart*, lettre au comte de Shrewsbury, p. 183.
[44] Ungerer, « Juan Pantoja de la Cruz and the Circulation of Gifts between English and Spanish Courts, 1604–1605 », pp. 149 et 154.
[45] Tait, *The Waddesdon Bequest*, p. 178.
[46] Cammell, *The Great Duke of Buckingham*, p. 166.
[47] Gade, *Christian IV*, pp. 113–114 ; et *Smykket I dansk eje*, cat. d'exp., pp. 25–26.
[48] Heriot, *Memoir of George Heriot*, p. 197 et p. 221 pour la bague renfermant le portrait de Jacques Ier.
[49] Shakespeare, *La Douxième Nuit ou Ce que vous voulez*, Théâtre complet, vol. V, trad. D. et G. Bournet, Paris, 1993, p. 364.
[50] Herbert, *Autobiography*, p. 79.
[51] PRO Prob. 11/174, fol. 70.
[52] Delany, *Autobiography and Correspondence of Mary Granville, Mrs. Delany*, vol. III, 2e série, p. 173.

CHAPITRE 2

[1] Babelon, *Histoire de la gravure sur gemmes en France*, pl. XII, n° 7.
[2] Clément, *Lettres, instructions et mémoires de Colbert*. Dans l'inventaire après décès de Colbert, on trouve p. 388 : « une agate-onyx représentant le portrait du Roy » (n° 380) et « une agate-onyx représentant le cardinal Mazarin » (n° 381).
[3] Dalton, *Catalogue of the Finger Rings... in the British Museum*, n° 1368. Le motif émaillé au revers du chaton rappelle un dessin de Pierre Marchand.
[4] Scarisbrick, *Bagues*, ill. 253 et 254 ; la date de l'exécution du roi est indiquée au revers du chaton.
[5] Green, *Calendar of State Papers, Domestic*. En 1656, Thomas Simon reçut 850 £ pour un bijou destiné à l'ambassadeur de Suède (p. 115).
[6] Weber, *Geschnittene Steine aus altbayerischem Besitz*, Munich, n° 234–242.
[7] Eichler et Kris, *Die Kameen im Kunsthistorischen Museum*, n° 438–443 (pendentifs) et 444 et 445 (bagues).
[8] *Ibid.*, n° 442, p. 185, fig. 81.
[9] Shaw, « Pieter van Roestraeten and the English Vanitas », p. 405, fig. 23.
[10] Muller, *Jewels in Spain*, p. 109.
[11] Maze-Sencier, *Le Livre des collectionneurs*. L'auteur s'appuie dans tout ce chapitre sur les nombreux extraits du registre des présents du roi publiés dans ce livre. En 1705, le marquis Rinuccini reçut « un médailler de l'Histoire du Roi de 280 médailles, dont 7 d'or et les autres d'argent, 2 374 livres » ; le nonce Lorenzo Fieschi, « un médailler de l'Histoire du Roi composé de 86 médailles d'or et 195 d'argent, 12 065 livres ».
[12] *Ibid.*
[13] Babelon, *Histoire de la gravure sur gemmes en France*, p. 210.
[14] Whitelocke, *Journal of the Swedish Embassy in the Years 1653–1654*, vol. II, pp. 199–209.
[15] Masson, *Queen Christina*, p. 196.
[16] Josten, « Elias Ashmole ».
[17] Börner, *Deutsche Medaillenkleinode des 16. und 17. Jahrhunderts*, pl. 69, cat. n° 145.
[18] *Ibid.*, planches 16, 17, cat. n° 25, 28.
[19] Reynolds, *The Sixteenth and Seventeenth Miniatures in the Collection of Her Majesty the Queen*, n° 426, p. 287.
[20] Scarisbrick, *Ancestral Jewels*, pl. 91. Collection du duc d'Hamilton.
[21] Noble, *Memoirs of the Protectoral House of Cromwell*, p. 308.
[22] Victoria & Albert Museum, Londres.
[23] Scarisbrick, *Ancestral Jewels*, p. 43, pl. 49, 50.
[24] Haile, *Queen Mary of Modena*, pp. 518–521.
[25] Osborne, *Letters of Dorothy Osborne to Sir William Temple*, pp. 59 et 109. Dans une lettre du 13 juin 1654, on peut lire : « [avant d'engager l'artiste], je consultai mon miroir tous les matins [...] mais mon visage dans celui-ci ne me plaisait jamais et, s'il ne me satisfaisait pas moi-même, je n'avais aucune raison d'espérer qu'il pût plaire à quiconque. »
[26] Scarisbrick, *Jewelry in Britain 1066–1837*, p. 215.
[27] Olausson, « Bejewelled Monarchs », in *Precious Gems*, cat. d'exp., p. 14.
[28] Bimbenet-Privat, *Les Orfèvres et l'orfèvrerie de Paris au XVIIe siècle*, vol. II.
[29] Charles Sorel, *La Vraie Histoire comique de Francion*, Paris, 1858, p. 136.
[30] Madame de Lafayette, *La Princesse de Clèves*, Paris, 1881, p. 143.
[31] AN, T 1520.
[32] Gauthier, « Le portrait de Béatrix de Cusance au musée du Louvre et l'inventaire de ses bijoux en 1663 », p. 136, n° 48–51.
[33] AN, T* 479/2.
[34] AN, T532/2 (Vente après décès des meubles de Marie Charron, veuve de J.-B. Colbert).
[35] Cordey, « Inventaire après décès d'Anne d'Autriche », pp. 265 et 272.

[36] Pour le portrait en miniature de la comtesse d'Olonne, voir Grace, « A Celebrated Miniature of the Comtesse d'Olonne », pp. 3–21.
[37] Bimbenet-Privat, *Les Orfèvres et l'orfèvrerie de Paris au XVIIe siècle*, vol. II, p. 400
[38] Voir l'inventaire de Marie-Louise d'Orléans. Muller, *Jewels in Spain*, note 9, cite des passages de ce document.
[39] Saint-Simon, *Mémoires*, Paris, 1983, vol. I, pp. 565–566.
[40] Bimbenet-Privat, *Les Orfèvres et l'orfèvrerie de Paris au XVIIe siècle*, vol. II, note 29, p. 406.
[41] Voir les extraits du registre des présents publiés dans Maze-Sencier, *Le Livre des collectionneurs*, note 10.
[42] Perini, « Malvasia's Connexions with France and Rome », pp. 410–412.
[43] Scholten, « Concerning the *conterfeyt-boot* Miniature Case of Louis XIV », in *A Sparkling Age*, cat. d'exp., pp. 55–62, cat. n°95.
[44] Tillander-Godenhielm, « The Russian Imperial Award System under Nicholas II 1894–1917 », pp. 149–179.

CHAPITRE 3

[1] Cité par Mansel, *Prince of Europe: the Life of Charles-Joseph de Ligne*, p. 87.
[2] Hackenbroch et Sframeli, *I Gioielli dell'Elettrice Palatina al Museo degli Argenti*, pp. 158–176, n° 68, 786 et 785.
[3] Maze-Sencier, *Le Livre des collectionneurs*, p. 102.
[4] Babelon, *Histoire de la gravure sur gemmes en France*, pl. XIII, n° 2.
[5] Bapst, *Inventaire de Marie-Josèphe de Saxe*, p. 149.
[6] Maze-Sencier, *Le Livre des collectionneurs*, note 3, mentionne de nombreux bijoux et tabatières ornés de portraits.
[7] AN, T* 299/5, 6, 7, « Journal du joaillier Aubert » 1767/1770/1773–1775/1775–1781. Voir aussi Marcel, « Aubert d'Avignon, joaillier du roi et garde des diamants de la couronne », pp. 89–111.
[8] Heuzé, « Les Simon, une dynastie de graveurs sur médailles », fig. 12a et b (pièce manquante au musée Carnavalet, à Paris).
[9] Herz, *Catalogue of the Collection of Pearls and Precious Stones formed by Henry Philip Hope*, pl. VII, n° 47.
[10] Les comptes de George IV sont conservés aux Archives royales, à Windsor. Pour la bague avec le camée de Charles James Fox, voir RAW 25648 ; pour celle avec le camée du roi de Prusse, voir 25650/3.
[11] Minto, *The Life and Letters of Sir Gilbert Elliot, 1st Earl of Minto*, vol. I, p. 326.
[12] Vente Christie's du 17 mai 1819, n° 33 et 59.
[13] *The Art of Gem Engraving from Alexander the Great to Napoleon III*, cat. d'exp., n° 74.
[14] Maze-Sencier, *Le Livre des collectionneurs*, note 3, p. 94.
[15] *Ibid.*
[16] Maze-Sencier, *Le Livre des collectionneurs*, note 3.
[17] Allemagne, *Les Accessoires du costume et du mobilier*, vol. I, pp. 9 et 10.
[18] Marivaux, *Les Fausses Confidences*, acte III, scène XII, Paris, 1997, p. 153.
[19] Jean-Jacques Rousseau, *La Nouvelle Héloïse*, in *Œuvres complètes de J.-J. Rousseau*, 1788, Paris, tome II, p. 322.
[20] Genlis, *Mémoires*, vol. I, p. 42.
[21] AN, minutier central, étude XXI, 141, 27 septembre 1749.
[22] « Registres comptables du marchand bijoutier joaillier successeur de la Veuve Demay et Masson, à l'enseigne À La Descente du Pont Neuf, Institut National d'Histoire de l'Art, Paris, ms 129/1.
[23] Maze-Sencier, *Le Livre des collectionneurs*, note 3, p. 498.
[24] *Ibid.*, note 3, p. 109.
[25] *Ibid.*, note 3, p. 115
[26] Denis Diderot, *Lettres à Sophie Volland*, Paris, 1930, vol. I, lettre du 4 juin 1758, pp. 43–44.
[27] AN AT 434.
[28] AN AT 197.
[29] Garnier-Pelle *et al.*, *Portraits des maisons royales et impériales de France et d'Europe : les miniatures du Musée Condé à Chantilly*, n° 143.
[30] Cité d'après Guillebon, « Un Suédois peintre du roi et des enfants de France : le miniaturiste Hall », pp. 78–79.
[31] Maze-Sencier, *Le Livre des collectionneurs*, note 3, p. 120.
[32] *Ibid.*
[33] AN, minutier central, étude CXV, 610.
[34] AN, T* 584-52.
[35] Bapst, *Inventaire de Marie-Josèphe de Saxe*, note 5, p. 148. Selon Bapst, p. 22, le dauphin était si attaché aux miniatures de feue sa première épouse montées en bracelets qu'il demanda à Marie-Josèphe de lui prouver son amour en les portant, ce qu'elle fit.
[36] Spencer-Stanhope, *The Letter-Bag of Lady Elizabeth Spencer-Stanhope*, vol. I, p. 41.
[37] *Mémoires sur Voltaire et sur ses ouvrages par Longchamp et Wagnière, ses secrétaires*, Paris, 1826, t. II, p. 254.
[38] Montet, *Souvenirs*, pp. 307–308.
[39] Yonan, « Portable dynasties », p. 186 et note 25, étudie l'importance de ce cadeau. La description ci-après de la boîte comportant treize portraits en miniature des Habsbourg doit beaucoup à ce même article. Alden Gordon publiera prochainement une étude consacrée aux échanges de portraits en miniature entre Madame de Pompadour, l'impératrice Marie-Thérèse et le comte de Kaunitz.
[40] Grootenboer, « Treasuring the Gaze: Eye Miniature Portraits and the Intimacy of Vision », pp. 496–507.
[41] Garrick et Colman, *Le Mariage clandestin*, acte I, scène VI, Paris, 1768, p. 22.
[42] Henry Fielding, *Amélie Booth, histoire anglaise*, t. V, *in Œuvres complètes de Fielding*, Paris, 1804, p. 150.
[43] *Country Life*, 19 avril 1956, p. 811.
[44] Boscawen, *Admiral's Wife: The Life and Letters of the Hon. Mrs Edward Boscawen*, p. 163.
[45] Vente Christie's du 17 mai 1819, n° 64.
[46] Walker, *Eighteenth and Early Nineteenth Century Miniatures in the Collection of Her Majesty the Queen*, pp. 156–157.
[47] Coke, *The Letters and Journals of Lady Mary Coke*, vol. II, p. 56.
[48] Delany, *Autobiography and Correspondence of Mary Granville, Mrs. Delany*, vol. III, 2e série, p. 216.
[49] Walker, *Miniatures in the Collection of Her Majesty the Queen: The Eighteenth and Early Nineteenth Centuries*, p. 84.
[50] *Ibid.*, n° 169.
[51] BL, Althorp Papers F126.
[52] *The Intimate Portrait*, cat. d'exp., p. 17 et fig. 4, pour le médaillon représentant l'œil de Madame Fitzherbert.
[53] Scarisbrick, *Rings*, pp. 127–128.
[54] Scarisbrick, *Jewellery in Britain 1066–1837*, pp. 268–269 ; et « The Jewelry of Treason », *Country Life*, 182 (1988), pp. 128–129.
[55] Oman, *British Rings*, p. 122, 82b.
[56] Maugras, *La Marquise de Boufflers*, pp. 216–217.
[57] Le 3 février 1748, Barbara Kerrich, décrivant le mariage de Monsieur Folkes avec Mademoiselle Browne, qui avait tant fait jaser, précisa que la mariée avait entre autres bijoux « une belle montre à répétition avec son portrait [celui du marié] entouré de diamants ». Voir Surry, *Your Affectionate and Loving Sister: the Correspondence of Barbara Kerrich and Elizabeth Postlethwaite.*
[58] Vente Christie's du 27 mars 1984, lot 200.
[59] La Roche, *Sophie in London*, p. 246.
[60] Scarisbrick, *Jewellery in Britain 1066–1837*, p. 338.
[61] Hackenbroch et Sframeli, *I gioielli dell'Elettrice Palatina al Museo degli Argenti*, n° 22.
[62] Garnier-Pelle *et al.*, *Portraits des maisons royales et impériales de France et d'Europe : les miniatures du Musée Condé à Chantilly*, n° 192.
[63] Vente Christie's, Genève, 17 et 18 mai 1994, lot 345.
[64] Holland, *The Spanish Journal of Lady Holland*, p. 28.
[65] Casanova, *Memoirs of Jacques Casanova de Seingalt*, p. 159, et p. 184 pour le médaillon et une tabatière à secret.
[66] Olausson, « Bejewelled Monarchs », in *Precious Gems*, cat. d'exp. p. 18, présente un portrait de la princesse Charlotte von Liewen, gouvernante du futur empereur Alexandre Ier, par Franz Gerhard von Kügelgen. La princesse porte deux pendentifs en diamants comportant un portrait en miniature de la grand-mère et de la mère de l'empereur, respectivement Catherine II et Marie Feodorovna. La princesse porte en outre deux autres portraits en miniature encadrés de perles et montés en fermoirs de bracelet.
[67] *Memoirs of the Princess Dashkov*, vol. I, p. 333.
[68] *Illustrated London News*, vol. LXIV, p. 22.

CHAPITRE 4

[1] National Gallery of Scotland, Édimbourg.
[2] Museo Napoloenico, Rome.
[3] Garside, *Jewelry, Ancient to Modern*, n° 652.
[4] Vente Christie's, 1962.
[5] Tassinari, « Glyptic Portraits of Eugène de Beauharnais: the Intaglios by Giovanni Beltrami and the Cameo by Antonio Berini », pp. 43–64.
[6] *The Art of Gem Engraving from Alexander the Great to Napoleon III*, cat. d'exp., n° 82.
[7] *The Connoisseur*, 1908, p. 230.
[8] *Smykket i dansk eje*, cat. d'exp., n° 214.
[9] Heuzé, « Les Simon, une dynastie de graveurs sur

médailles », pp. 201–228.

[10] Cette pièce, qui fit partie de l'Esmerian Collection, fut vendue par S. J. Phillips. Actuellement, collection particulière (États-Unis).

[11] Hartop, *Royal Goldsmiths: The Art of Rundell & Bridge*, n° 67. Sur cette tabatière, l'intaille en cornaline représentant George IV est entourée d'une bordure en or sur laquelle ont été ciselés l'insigne et la devise de l'ordre royal des Guelfes. Intaille de Benedetto Pistrucci. Voir Pirzio Biroli, *I modelli in cera di Benedetto Pistrucci*.

[12] Aschengreen Piacenti et Boardman, *Ancient and Modern Gems and Jewels in the Collection of Her Majesty the Queen*, n° 273.

[13] RAW 26161.

[14] Aschengreen Piacenti et Boardman, *Ancient and Modern Gems and Jewels in the Collection of Her Majesty the Queen*, n° 227.

[15] *Victoria and Albert, Art and Love*, cat. d'exp., n° 9.

[16] *Ibid.*, n° 244, pour en savoir plus sur cet ordre.

[17] Dickmann de Petra et Barberini, *Tommaso e Luigi Saulini*, voir portraits dessinés par ces deux graveurs et identifiés comme étant ceux des Américains George Washington Green (B 140), F. Wright (B 189), Samuel M. Dossey (B 200), Gordon Estess (B 220) et S. H. Benoizt (C29).

[18] Registres comptables de Fossin, archives Chaumet, Paris.

[19] Tolles, « Augustus Saint-Gaudens in the Metropolitan Museum of Art », p. 61.

[20] *The Art of Gem Engraving from Alexander the Great to Napoleon III*, cat. d'exp., n° 221.

[21] Montet, *Souvenirs*.

[22] Ligne, *Souvenirs*, p. 176.

[23] Vente Sotheby's, Londres, 16 mai 1991, n° 426.

[24] Tassinari, « I ritratti dello zar Nicola I incise su intaglie e cammei ».

[25] Dickmann de Petra et Barberini, *Tommaso e Luigi Saulini*, p. 72, dessins et portraits de personnalités russes en camée.

[26] Vente Sotheby's, Monte-Carlo, 25 juin 1976, lot. 555. Offert par le grand-duc à sa fille Elena, épouse de Nicolas de Grèce.

[27] Dickmann de Petra et Barberini, *Tommaso e Luigi Saulini*, p. 72.

[28] Pistrucci fut chargé de créer en 1819 la médaille commémorant la victoire de Waterloo. Voir Pirzio Biroli, *I modelli in cera di Benedetto Pistrucci*.

[29] RAW 25995.

[30] RAW 25996.

[31] RAW 26004.

[32] Tait, *The Art of the Jeweller: A Catalogue of the Hull Grundy Gift to the British Museum*, n° 361 (monture exécutée ultérieurement par John Brogden, actif 1842–1885) : un des 650 exemplaires en or de la médaille du couronnement créée par Benedetto Pistrucci. Il en fut frappé 800 autres exemplaires en argent.

[33] Scarisbrick, *Jewelry in Britain 1066–1837*, p. 326, n° 117, 118.

[34] Tait, *The Art of the Jeweller: A Catalogue of the Hull Grundy Gift to the British Museum*, n° 365.

[35] *Ibid.*, n° 362 : les deux épingles sont liées par une chaîne en or et sommées d'un serpent émaillé bleu, aux yeux de diamant, qui encadre une médaille en or tournante présentant, sur une face, un double portrait de la reine Victoria et du prince Albert et, sur l'autre, celui du prince de Galles enfant.

[36] *Ibid.*, n° 363.

[37] Bury, *Jewellery 1789–1910*, vol. II, pl. 332/D : épingle composée d'un portrait en médaille de la reine Victoria dû à Alfred Gilbert et dotée d'une bordure de diamants créée par le joaillier Joseph Heming.

[38] Tait, *The Art of the Jeweller: A Catalogue of the Hull Grundy Gift to the British Museum*, n° 359 : médaille de Bertrand Andrieu à l'effigie de la princesse Pauline Borghèse, montée en pendentif et entourée d'une couronne de fleurs exécutée avec de l'or de différentes couleurs.

[39] Hartop, *Royal Goldsmiths: the Art of Rundell & Bridge*, fig. 24, p. 35 (cadeau offert au sixième duc de Devonshire).

[40] Bloomfield, *Reminiscences of Court and Diplomatic Life*.

[41] Marquardt, *Schmuck*, p. 297, n° 484.

[42] *Ibid.*, p. 346, n° 696, et vente Sotheby's, Genève, 17 novembre 1992.

[43] Marquardt, *Schmuck*, p. 278, n° 386.

[44] Clary, *Trois mois à Paris*, pp. 245–246.

[45] Chavanne *et al.*, *Jean-Baptiste Isabey*, p. 129, n° 63bis.

[46] Dernelle, *Mémoires de Mademoiselle Avrillion*, p. 282.

[47] Scarisbrick, *Chaumet*, p. 36.

[48] Chavanne *et al.*, *Jean-Baptiste Isabey*, n° 100.

[49] Biagi, *Le lettere di Joachim Murat alla figlia Laetizia*, lettre XX.

[50] Chateaubriand, *Mémoires d'outre-tombe*, Paris, 1997, vol. II, p. 1928.

[51] Facture de Breguet du 19 septembre 1807, n° 2080.

[52] Chavanne *et al.*, *Jean-Baptiste Isabey*, n° 70.

[53] Registres comptables de Fossin, archives Chaumet, Paris.

[54] Karr, *Les Guêpes*, vol. I, p. 159.

[55] Montet, *Souvenirs*, p. 341.

[56] *Entre cour et jardin, Marie-Caroline, duchesse de Berry*, cat. d'exp., p. 114, n° 28.

[57] Garnier-Pelle *et al.*, *Portraits des maisons royales et impériales de France et d'Europe*, n° 148. Cette boîte fut offerte par Madame Adélaïde au duc de Bourbon à l'occasion du baptême, en 1825, de leur filleul, le duc d'Aumale.

[58] Vente Christie's, Paris, 28 octobre 2008.

[59] *Souvenirs de la Princesse de Ligne*, p. 76.

[60] Garnier-Pelle *et al.*, *Portraits des maisons royales et impériales de France et d'Europe*, p. 13, fig. 3.

[61] Registres comptables de Fossin, archives Chaumet, Paris.

[62] Aspinall, *Letters of George IV 1812–1830*, I, n° 340.

[63] Frampton, *Journal of M. Frampton*, p. 279.

[64] RAW 25920.

[65] Walker, *Eighteenth and Early Nineteenth Century Miniatures in the Collection of Her Majesty the Queen*, n° 923.

[66] *Ibid.*

[67] *Victoria and Albert, Art and Love*, cat. d'exp. n° 2 et 20.

[68] *Ibid.*, n° 7.

[69] *Ibid.*, n° 16.

[70] Garnier-Pelle *et al.*, *Portraits des maisons royales et impériales de France et d'Europe*, n° 245.

[71] *Victoria and Albert, Art and Love*, cat. d'exp. Les bracelets n° 257 et 258 furent commandés par le prince Albert pour la reine Victoria. Le n° 257 comprend les portraits en miniature de six de leurs enfants ; les portraits des trois autres figurent sur le n° 258.

[72] *Exhibition of Royal and Historic Treasures in Aid of « The Heritage »*, cat. d'exp., p. 73, n° 17.

[73] *Œuvres Complètes de H. de Balzac*, vol. IX, Paris, 1849, *Splendeurs et misères des courtisanes*, 3e partie, p. 332.

[74] Scarisbrick, *Jewellery in Britain 1066–1837*, p. 337.

[75] Broughton, *Recollections*, vol. I, p. 231.

[76] Wassenaer, *A Visit to St. Petersburg 1824–1825*, p. 43.

[77] Scarisbrick, *Ancestral Jewels*, p. 75.

[78] Tillander-Godenhielm, « The Russian Imperial Award System under Nicholas II », pp. 149–179.

[79] *Victoria and Albert, Art and Love*, cat. d'exp., n° 259.

[80] *Ibid.*, n° 260. On trouvera dans Garnier-Pelle *et al.*, *Portraits des maisons royales et impériales de France et d'Europe*, sous le n° 244, une broche avec la même photographie.

[81] Bloomfield, *Reminiscences of Court and Diplomatic Life*, p. 345.

[82] Solodkoff, *Fabergé*.

CHAPITRE 5

[1] Batiffol, *La Vie intime d'une reine de France au XVIIe siècle*, II, p. 90.

[2] Cordey, « Inventaire après décès d'Anne d'Autriche », pp. 265, 272 et 274.

[3] Sharp, « Notes on Stuart Jewelry », p. 230. Collection du colonel Le Rossignol.

[4] Hackenbroch et Sframeli, *I gioielli dell'Elettrice Palatina al Museo degli Argenti*, p. 161, n° 67.

[5] Delany, *Autobiography and Correspondence of Mary Granville, Mrs. Delany*, vol. III, 2e série, p. 178.

[6] BL, Add. ms. 61472, fol. 206–207b.

[7] Green, *Sarah, Duchess of Marlborough*, pp. 190–192 ; et aussi les archives de la maison Garrard (1829) : « un bracelet avec un très beau diamant en table recouvrant un portrait du grand-duc de Marlborough ».

[8] Walker, *Eighteenth and Early Nineteenth Century Miniatures in the Collection of Her Majesty the Queen*, p. 127, n° 250.

[9] *Ibid.*, p. 98.

[10] Pour 1800, voir RAW 25687 ; pour 1813, RAW 25848.

[11] Genlis, *Mémoires*, p. 303.

[12] Scarisbrick, *Chaumet*, p. 138.

[13] Wilmot, *The Russian Journals of Martha and Catherine Wilmot 1803–1808*, pp. 67–68.

[14] Grunwald, *La Vie de Nicolas Ier*.

[15] Vente Christie's, Londres, 22 mars 1961, lot 10.

[16] *Fabergé, joaillier des Romanov*, cat. d'exp., pp. 43–45.

[17] Babelon, *Jacopo da Trezzo*, p. 37.

[18] Mariette, *Traité des pierres gravées*, vol. I, p. 141.

[19] Hertz, *Catalogue of the Collection of Pearls and Precious Stones formed by Henry Philip Hope*, p. 29, n° 41.

[20] Story-Maskelyne, *Report on Jewellery and Precious Stones*, p. 601.

[21] *Diamant van ruwe steen tot sieraad*, cat. d'exp.

BIBLIOGRAPHIE

Allemagne, H. d' *Les Accessoires du costume et du mobilier*, Paris, 1928

Aschengreen Piacenti, K., et John Boardman *Ancient and Modern Gems and Jewels in the Collection of Her Majesty the Queen*, Londres, 2008

Aspinall, A. *The Letters of George IV 1812–1830*, Londres, 1938

Babelon, E. *Catalogue des camées antiques et modernes de la Bibliothèque nationale*, Paris, 1897

— *Histoire de la gravure sur gemmes en France*, Paris, 1902

Babelon, J. *Jacopo da Trezzo et la construction de l'Escurial. Essai sur les arts à la cour de Philippe II*, Paris, 1922

Babelon, J. P. *Lettres d'amour et écrits politiques*, Paris, 1988

Bapst, G. *Inventaire de Marie-Josèphe de Saxe, Dauphine de France*, Paris, 1883

Batiffol, L. *La Vie intime d'une reine de France au XVIIe siècle*, Paris, 1931

Biagi, G. *Le lettere di Joachim Murat alla figlia Laetizia*, Rome, 1893

Bimbenet-Privat, M. *Les Orfèvres et l'orfèverie de Paris au XVIIe siècle*, Paris, 2002

Bloomfield, Baronne *Reminiscences of Court and Diplomatic Life*, Londres, 1883

Börner, L. *Deutsche Medaillenkleinode des 16. und 17. Jahrhunderts*, Leipzig, 1981

Boscawen, E. *Admiral's Wife: The Life and Letters of the Hon. Mrs Edward Boscawen*, éd. C. Aspinall Oglander, Londres, 1940

Brewer, J. C., éd. *Letters and Papers, foreign and domestic of the reign of Henry VIII, preserved at the Public Record Office*, Londres, 1872

Broughton, Lord *Recollections*, éd. Lady Dorchester, Londres, 1909

Bruel, F. L. « Deux inventaires de bagues, joyaux, pierreries et dorures de la reine Marie de Médicis (1609 ou 1610) », *Archives de l'art français*, tome II, Paris, 1908

Bury, S. *Jewellery 1789–1910*, Woodbridge, 1991

Cammell, C. R. *The Great Duke of Buckingham*, Londres, 1939

Casanova, G. *Memoirs of Jacques Casanova de Seingalt*, Londres et Amsterdam, 1922

Chavanne, B., *et al.* *Jean-Baptiste Isabey 1767–1855, portraitiste de l'Europe*, Paris, 2006

Clary, C. de *Souvenirs du prince Charles de Clary-et-Aldringen. Trois mois à Paris*, Paris, 1914

Clément, P., éd. *Lettres, instructions et mémoires de Colbert*, vol. VII, Paris, 1873

Coke, M. *Letters and Journals of Lady Mary Coke*, éd. A. J. Home, II, Bath, 1970

Cordey, J. « Inventaire après décès d'Anne d'Autriche », *Bulletin de la société de l'histoire de l'art français*, Paris, 1930

Dalton, K. « Art For the Sake of Dynasty », *in* P. Erickson et C. Hulse, éds., *Early Modern Visual Culture: Representation, Race and Empire in Renaissance England*, Philadelphie, 2000

Dalton, O. M. *Catalogue of the Finger Rings, Early Christian, Byzantine, Teutonic, Medieval and Later in the British Museum*, Londres, 1912

Dashkov, Princesse *Memoirs of the Princess Dashkov written by herself*, éd. Mrs W. Bradford, Londres, 1840

Delany, M. *The Autobiography and Correspondence of Mary Granville, Mrs. Delany*, éd. Lady Llanover, Londres, 1862

Dernelle, M., éd. *Mémoires de Mademoiselle Avrillion*, Paris 1969

Desclozeaux, L. *Gabrielle d'Estrées*, Paris, 1889

Dickmann de Petra, M., et F. Barberini *Tommaso e Luigi Saulini*, Rome, 2006

Diderot, Denis *Lettres à Sophie Volland*, Paris, 1930

Eichler, F., et E. Kris *Die Kameen in Kunsthistorischen Museum*, Vienne, 1927

Frampton, M. *The Journal of M. Frampton, 1779–1846*, éd. H. G. Mundy, Londres, 1885

Fréville, E. de « Notice historique sur l'inventaire des biens meublés de Gabrielle d'Estrées », *Bibliothèque de l'École des Chartes*, tome III, Paris, 1841–1842

Gade, J. *Christian IV*, Londres, 1928

Garnier-Pelle, N., *et al.* *Portraits des maisons royales et impériales de France et d'Europe : les miniatures du Musée Condé à Chantilly*, Paris, 2007

Garside, A., éd. *Jewelry Ancient to Modern*, Baltimore, Md, 1979

Gauthier, J. « Le Portrait de Béatrice de Cusance au Musée du Louvre et l'inventaire de ses bijoux en 1663 », *Académie des Sciences, Belles Lettres et Arts de Besançon : Procès verbaux et mémoires*, Besançon, 1897

Genlis, Madame de *Mémoires*, Paris, 1925

Grace, P. « A Celebrated Miniature of the Comtesse d'Olonne », *Philadelphia Museum of Art Bulletin*, vol. 83, n° 353, automne 1986

Green, D. *Sarah, Duchess of Marlborough*, Londres, 1967

Green, M. A. E., éd. *Calendar of State Papers, Domestic, 1656–1667*, Londres, 1884

Grootenboer, H. « Treasuring the Gaze: Eye Miniature Portraits and the Intimacy of Vision », *Art Bulletin*, vol. 88, 2006

Grunwald, C. de *La Vie de Nicolas Ier*, Paris, 1946.

Guillebon, R. de Plinval de « Un Suédois, peintre du roi et des enfants de France : le miniaturiste Hall », *L'Estampille, L'Objet d'Art*, n° 354, janvier 2001

Hackenbroch, Y., et M. Sframeli *I gioielli dell'Elettrice Palatina al Museo degli Argenti*, Florence, 1988

Haile, M. *Queen Mary of Modena, Her Life and Letters*, Londres, 1905

Hartop, C. *Royal Goldsmiths: the Art of Rundell & Bridge, 1797–1843*, Cambridge, 2005

Herbert, Lord *Autobiography: A Collection of the Most Instructive and Amusing Lives Ever Published*, VIII, Londres, 1830

Heriot, G. *Memoir of George Heriot, Jeweller to King James VI*, Édimbourg, 1822

Hertz, B. *Catalogue of the Collection of Pearls and Precious Stones formed by Henry Philip Hope*, Londres, 1839

Heuzé, M. « Les Simon, une dynastie de graveurs sur médailles », *Bulletin de la société de l'histoire de l'art français*, 2002

Holland, E. *Spanish Journal of Lady Holland*, Londres, 1910

Josten, C. H. « Elias Ashmole F.R.S. 1617–1692 », *Notes and Records of the Royal Society of London*, vol. 15, juillet 1960

Karr, A. *Les Guêpes*, Paris, 1858

La Roche, S. von *Sophie in London*, Londres, 1933

Lebel, G. « British-French Artistic Relations in the XVIth Century », *Gazette des Beaux-Arts*, vol. XXXIII, 1948, pp. 273–277

Ligne, princesse de *Souvenirs de la Princesse de Ligne (1815–1850)*, Bruxelles et Paris, 1922

Mansel, P. *Prince of Europe: The Life of Charles-Joseph de Ligne*, Londres, 2005

Marcel, N. « Aubert d'Avignon, joaillier du roi et garde des diamants de la couronne », *Mémoires de l'Académie de Vaucluse*, série 2, vol, XIX, 1919

Mariette, P. *Traité des pierres gravées*, Paris, 1750

Marquardt, B. *Schmuck: Realismus und Historismus 1850–1895*, Munich, 1998

Masson, G. *Queen Christina*, Londres, 1974

Maugras, G., éd. *La Marquise de Boufflers et son fils le chevalier de Boufflers*, Paris, 1907

Maze-Sencier, A. *Le Livre des collectionneurs*, Paris, 1885

Minto, Ier comte de *The Life and Letters of Sir Gilbert Elliot, First Earl of Minto*, éd. comtesse de Minto, Londres, 1874

Mitford, N. *Voltaire amoureux*, Paris, 1959

Montet, Baronne du *Souvenirs*, Paris, 1904

Muller, P. *Jewels in Spain*, New York, 1972

Noble, M. *Memoirs of the Protectoral House of Cromwell*, Londres, 1787

Olausson, M. « Bejewelled Monarchs: From Mark of Favour to Royal Emblem », in *Precious Gems*, cat. d'exp., Stockholm, 2000

Oman, C. *British Rings*, Londres, 1973

Orléans, M.-L. d' Inventaire, 1689 ; vol. 5269, Registro de Escrituras de Don Francisco Arévalo, Real Bureo, Archivo General de Palacio, Madrid

Osborne, D. *Letters of Dorothy Osborne to Sir William Temple*, éd. G. M. Smith, Oxford, 1928

Perini, G. « Malvasia's Connexions with France and Rome », *Burlington Magazine*, CXXXII, n° 1047, juin 1990

Pirzio Biroli, L. *I modelli in cera di Benedetto Pistrucci*, Rome, 1989

Pointon, M. « "Surrounded with Brilliants": Miniature Portraits in 18th Century England », *Art Bulletin*, vol. 83, 2001

Reynolds, G. *The Sixteenth- and Seventeenth-Century Miniatures in the Collection of Her Majesty the Queen*, Londres, 1999

Robertson, J., éd. *Inventaires de la Royne Descosse Douairiere de France 1556–1569*, Édimbourg, 1863

Saint-Simon, Louis de Rouvroy, Duc de *Mémoires*, vol. I, Paris, 1983

Scarisbrick, D. *Ancestral Jewels*, Londres, 1984
— « Anne of Denmark's Jewellery Inventory », *Archaeologia*, vol. 109, 1991
— *Jewellery in Britain 1066–1837*, Norwich, 1994
— *Chaumet, joallier depuis 1780*, Paris, 1995
— *Rings: Symbols of Power, Wealth and Affection*, Londres, 1993
— *Bagues : bijoux de pouvoir, d'amour et de loyauté*, Paris, 2008
Sframeli, M. *I gioielli dei Medici*, Florence, 2003
Sharp, A. « Notes on Stuart Jewellery », *Proceedings of the Society of Antiquaries of Scotland*, 1923
Shaw, L. B. « Pieter van Roestraten and the English *Vanitas* », *Burlington Magazine*, CXXXII, juin 1990
Solodkoff, A. von *Fabergé*, Paris, 1990
Spencer-Stanhope, E. *The Letter-Bag of Lady Elizabeth Spencer-Stanhope*, éd. A. M. W. Stirling, Londres, 1913
Steene, S. J. *The Letters of Lady Arabella Stuart*, Oxford, 1994
Story-Maskelyne, M. H. N. *Report on Jewellery and Precious Stones; Report on the Paris Universal Exhibition, 1867*, II, Class 36, Londres, 1868
Strong, R. *Tudor and Jacobean Portraits*, National Portrait Gallery, Londres, 1969
— *Gloriana: The Portraits of Queen Elizabeth I*, Londres, 1987
Surry, N., éd. *Your Affectionate and Loving Sister: The Correspondence of Barbara Kerrich and Elizabeth Postlethwaite 1733–1751*, Dereham, 2000
Tait, H., éd. *The Art of the Jeweller: A Catalogue of the Hull Grundy Gift to the British Museum*, Londres, 1984
— *The Waddesdon Bequest*, I, *The Jewels*, Londres, 1986
Tassinari, G. « Glyptic Portraits of Eugène de Beauharnais: the Intaglios by Giovanni Beltrami and the Cameo by Antonio Berini », *Journal of the Walters Art Museum*, vol. 60/61, 2003
— « I ritratti dello zar Nicola I incise su intaglie e cammei », *Zeitschrift für Kunstgeschichte*, 68, 2005, Heft 3
Tillander-Godenhielm, U. « The Russian Imperial Award System under Nicholas II 1894–1917 », *Journal of the Finnish Antiquarian Society*, 2005
Tolles, T. « Augustus Saint-Gaudens in the Metropolitan Museum of Art », *Metropolitan Museum of Art Bulletin*, printemps 2009
Ungerer, G. « Juan Pantoja de la Cruz and the Circulation of Gifts between the English and Spanish Courts, 1604–1605 », *Shakespearean Studies*, 26, 1993
Vachaudez, C. *Bijoux des reines et princesses de Belgique*, Bruxelles, 2004
Viel-Castel, H. de « Commande de bijoux par la reine, Catherine de Médicis, à Dujardin, orfèvre du roi Charles IX », *Archives de l'art français*, tome III, 1853–1855
Walker, R. *The Eighteenth and Early Nineteenth Century Miniatures in the Collection of Her Majesty the Queen*, Cambridge, 1992
Wassenaer, C. van *A Visit to St. Petersburg 1825–1825*, trad. et éd. I. Vinogradoff, Norwich, 1994
Weber, I. *Geschnittene Steine aus altbayerischen Besitz*, Munich, 2001
Whitelocke, B. *A Journal of the Swedish Embassy in the Years 1653–1654, impartially written by the ambassador, Bulstrode Whitelocke*, éd. H. Reeve, Londres, 1855
Wilmot, M. et C. *The Russian Journals of Martha and Catherine Wilmot 1803–1808*, éd. H. M. Hyde, Londres, 1934
Yonan, M. « Portable Dynasties: Imperial Gift-Giving at the Court of Vienna in the Eighteenth Century », in *Gift-Giving in 18th Century Courts*, numéro spécial de *The Court Historian*, vol. 14, 2 décembre 2009

CATALOGUES D'EXPOSITION

The Art of Gem Engraving from Alexander the Great to Napoleon III, Hakone et Fukuoka, Japon, 2008 (D. Scarisbrick)
Brilliant Europe, Espace culturel ING, Bruxelles, 2008 (D. Scarisbrick *et al.*)
Diamant van ruwe steen tot sieraad, Museon, La Haye, 2002–2003 (René Brus)
Entre cour et jardin, Marie-Caroline, duchesse de Berry, Musée de l'Ile de France, Sceaux, 2007
Exhibition of Royal and Historic Treasures in Aid of « The Heritage » (The Heritage Craft Schools, Chailey, Sussex), au 145 Piccadilly, Londres, 29 juin–29 septembre 1939
Fabergé, joaillier des Romanov, Espace culturel ING, Bruxelles, 2005
Gioielli regali, ori, smalti, coralli e pietre preziose, Palais royal, Caserte, 2005
The Intimate Portrait, British Museum, 2008 (S. Lloyd et K. Sloan)
Precious Gems, Nationalmuseum, Stockholm, 2000 (E. Welander-Berggren)
Princely Magnificence, Victoria & Albert Museum, Londres, 1980–1981 (A. Somers Cocks)
The Queen's Image, Scottish National Portrait Gallery, Édimbourg, 1987 (H. Smales et D. Thomson)
Smykket I dansk eje (la joaillerie dans les collections danoises), Danske Kunstindustrimuseet, Copenhague, 1960
A Sparkling Age, Diamond Museum, Anvers, 1993 (J. Walgrave)
Victoria and Albert, Art and Love, Queen's Gallery, Londres, 2010 (J. Marsden)

SOURCES DES DOCUMENTS ORIGINAUX

Archives Chaumet, Paris
Archives Nationales, Paris
Archivo General de Palacio, Madrid
British Library, Londres
Institut National d'Histoire de l'Art, Paris
Royal Archives, Windsor

SOURCES DES ILLUSTRATIONS

1 Collection privée ; 2 Szépmüvészeti Museum, Budapest ; 3 Courtesy À La Vieille Russie, New York ; 4 Kunsthistorisches Museum, Vienne ; 5 Galleria degli Uffizi, Florence © 2010. Photo Scala, Florence – courtesy Ministero Beni e Attività Culturali ; 6, 7 Kunsthistorisches Museum, Vienne ; 8, 9 Collection privée. Courtesy Albion Art Jewellery Institute, Japon ; 10, 11 Museo degli Argenti, Florence © 2010. Photo Scala, Florence – courtesy Ministero Beni e Attività Culturali ; 12 Collection privée ; 13, 14 Museo degli Argenti, Florence © 2010. Photo Scala, Florence – courtesy Ministero Beni e Attività Culturali ; 15 Prado, Madrid, Espagne/Giraudon/The Bridgeman Art Library ; 16 Museo degli Argenti, Florence © 2010. Photo Scala, Florence – courtesy of the Ministero Beni e Attività Culturali ; 17 Avec la permission du Governing Body of Christ Church, Oxford ; 18, 19 Albion Art Collection, Japon ; 20 Museo degli Argenti, Florence © 2010. Photo Scala, Florence – courtesy Ministero Beni e Attività Culturali ; 21, 22 Collection privée ; 23 Bibliothèque Nationale de France, Paris ; 24 © Ashmolean Museum, University of Oxford/The Bridgeman Art Library ; 25 Bibliothèque Nationale de France, Paris ; 26 Collection privée ; 27 © Society of Antiquaries of London ; 28 © V&A Images/Victoria & Albert Museum, Londres ; 29 © National Portrait Gallery, London ; 30 Kunsthistorisches Museum, Vienne ; 31, 32 © V&A Images/Victoria & Albert Museum, Londres ; 33 Museo degli Argenti, Florence © 2010. Photo Scala, Florence – courtesy Ministero Beni e Attività Culturali ; 34 Kunsthistorisches Museum, Vienne ; 35 Galleria degli Uffizi, Florence © 2010. Photo Scala, Florence – courtesy Ministero Beni e Attività Culturali ; 36 © V&A Images/Victoria & Albert Museum, Londres ; 37 Münzkabinett, Staatliche Kunstsammlungen Dresden ; 38 Grünes Gewölbe, Staatliche Kunstsammlungen Dresden ; 39 Staatliche Münzsammlung, Munich ; 40 Collection privée ; 41 Bayerisches Nationalmuseum, Munich ; 42 Staatliche Münzsammlung, Munich ; 43, 44 © The Trustees of the British Museum, Londres ; 45–48 © V&A Images/Victoria & Albert Museum, Londres ; 49 Collection royale danoise, château de Rosenborg, Copenhague ; 50 Rubenshuis, Anvers © Collectiebeleid ; 51, 52 © The Trustees of the National Museums of Scotland, Édimbourg ; 53–56 Kunsthistorisches Museum, Vienne ; 57 Courtesy the Weiss Gallery, Londres ; 58 © Ashmolean Museum, University of Oxford/The Bridgeman Art Library ; 59 Landesmuseum Württemberg, Stuttgart, photo Dr Ulrich Klein ; 60 Grünes Gewölbe, Staatliche Kunstsammlungen Dresden ; 61 © V&A Images/Victoria & Albert Museum, Londres ; 62 Victoria & Albert Museum, Londres ; 63 Plymouth City Museum & Art Gallery ; 64–66 © V&A Images/Victoria & Albert Museum, Londres ; 67–69 Kunsthistorisches Museum, Vienne ; 70–72 © The Trustees of the British Museum, Londres ; 73, 74 Fitzwilliam Museum, University of Cambridge/The Bridgeman Art Library ; 75 Collection privée ; 76, 77 Museo Nacional de Arte Decorativo, Buenos Aires, Argentine ; 78–80 Collection privée ; 81 © York Museums Trust (York Art Gallery)/The Bridgeman Art Library ; 82–84 Bibliothèque Nationale de France, Paris ; 85, 86 Courtesy S. J. Phillips Ltd, Londres ; 87 © National Portrait Gallery, Londres ; 88 Cromwell Museum, Huntingdon ; 89–91 Kunsthistorisches Museum, Vienne ; 92 Kunsthistorisches Museum, Vienne/akg images/Erich Lessing ; 93 Kunsthistorisches Museum, Vienne ; 94 Musée de la Monnaie de Paris, photo Jean-Jacques Castaing ;

95 Bibliothèque Nationale de France, Paris ; 96 York Museums Trust (York Art Gallery)/The Bridgeman Art Library ; 97 Rijksmuseum, Amsterdam ; 98 Courtesy S. J. Phillips Ltd, Londres ; 99 akg images ; 100 Cabinet royal des Monnaies, Stockholm ; 101 © Ashmolean Museum, University of Oxford/ The Bridgeman Art Library ; 102, 103 Courtesy S. J. Phillips Ltd, Londres ; 104 Staatliche Münzsammlung, Munich ; 105 Collection privée ; 106 Walters Art Museum, Baltimore ; 107–109 Collection privée ; 110 Rijksmuseum, Amsterdam ; 111, 112 © The Trustees of the National Museums of Scotland, Édimbourg ; 113, 114 Collection royale danoise, château de Rosenborg, Copenhague ; 115, 116 Collection privée. Courtesy David Lavender Antiques ; 117 Courtesy S. J. Phillips Ltd, Londres ; 118, 119 Trustees of the Grimsthorpe and Drummond Castle Estates ; 120, 121 The Royal Collection © 2010 Sa Majesté la Reine Elizabeth II ; 122–124 © The Trustees of the British Museum, Londres ; 125, 126 Collection privée ; 127 Rigsarkivet, Copenhague ; 128 Courtesy the Weiss Gallery, Londres ; 129–141 Collection royale danoise, château de Rosenborg, Copenhague ; 142 Armurerie royale, Stockholm, photo Göran Schmidt ; 143, 144 Nationalmuseum, Stockholm ; 145 © Museen für Kunst und Kulturgeschichte der Hansestadt Lübeck ; 146 Armurerie royale, Stockholm, photo Göran Schmidt ; 147 © Musée international d'horlogerie, La Chaux-de-Fonds, Suisse ; 148 The Earl of Sandwich ; 149–151 Kunsthistorisches Museum, Vienne ; 152 Collection privée ; 153 Musées d'art et d'histoire, Genève ; 154, 155 Musée du Louvre, Paris, D.A.G. © RMN/Gérard Blot ; 156, 157 Philadelphia Museum of Art : don de Mme Lessing J. Rosenwald, 1961 ; 158 Collection privée ; 159 The Royal Collection © 2009 Sa Majesté la Reine Elizabeth II ; 160 Collection privée ; 161, 162 Musée du Louvre, Paris, © RMN/Jean-Gilles Berizzi ; 163, 164 © Christie's Images Ltd (2001) ; 165 Courtesy Sotheby's ; 166–170 Victoria & Albert Museum, Londres ; 171, 172 Bibliothèque Nationale de France, Paris ; 173 Harvard Art Museum, Fogg Art Museum, Cambridge, Mass. legs de Charles E. Dunlap, 1966.47. Photo : Imaging Department © President and Fellows of Harvard College ; 174 Albion Art Collection, Japon ; 175 Collection privée. Courtesy S. J. Phillips Ltd, Londres ; 176 © Christie's Images Ltd (2008) ; 177 Bibliothèque Nationale de France, Paris ; 178 Collection royale danoise, château de Rosenborg, Copenhague ; 179 The Royal Collection © 2010 Sa Majesté la Reine Elizabeth II ; 180 Tweed Investments Ltd ; 181 Collection privée ; 182 Courtesy Sotheby's ; 183 Fiorentina S.A., dépôt à la Fondation Ciechanowiecki, château royal, Varsovie ; 184 Palais des Armures du Kremin, Moscou ; 185 Musée de l'Ermitage, Saint-Pétersbourg. Photo © Musée de l'Ermitage/ Photo de Vladimir Terebenin, Leonard Kheifets, Yuri Molodkovets ; 186 Collection de la famille Zucker ; 187 Musée de l'Ermitage, Saint-Pétersbourg. Photo © Musée de l'Ermitage/Photo de Vladimir Terebenin, Leonard Kheifets, Yuri Molodkovets ; 188 © Society of Antiquaries of London ; 189 Musée Szépmüvészeti, Budapest ; 190 Collection privée ; 191 Courtesy S. J. Phillips Ltd, Londres ; 192 © The Rosalinde and Arthur Gilbert Collection, prêt au Victoria & Albert Museum, Londres ; 193 Musée de l'Ermitage,Saint-Pétersbourg. Photo © Musée de l'Ermitage/Photo de Vladimir Terebenin, Leonard Kheifets, Yuri Molodkovets ; 194 The Trustees of the Bowood Collection ; 195 Bibliothèque Nationale de France, Paris ; 196 Musée Carnavalet, Paris/Roger-Viollet/Topfoto ; 197 Collection privée ; 198 Kunsthistorisches Museum, Vienne ; 199, 200 Christie's Images Ltd ; 201 Musée Condé, Chantilly © RMN (Domaine de Chantilly)/René-Gabriel Ojéda ; 202 Christie's Images Ltd ; 203–205 © Wallace Collection, Londres/The Bridgeman Art Library ; 206, 207 Kunsthistorisches Museum, Vienne ; 208 Victoria & Albert Museum, Londres ; 209 Musée Carnavalet, Paris/Roger-Viollet/Topfoto ; 210, 211 Collection privée. Courtesy S. J. Phillips Ltd, Londres ; 212 © The Holburne Museum, Bath/Bridgeman Art Library ; 213 Trustees of the Grimsthorpe and Drummond Castle Estates ; 214, 215 The Royal Collection © 2010 Sa Majesté la Reine Elizabeth II ; 216, 217 Tweed Investments Ltd ; 218 Trustees of the Grimsthorpe and Drummond Castle Estates ; 219–221 © Wallace Collection, Londres/The Bridgeman Art Library ; 222, 223 Courtesy Bonhams ; 224, 225 The Collection at Blair Castle, Perthshire ; 226 Caserte, Courtesy Ministero per i Beni e le Attività Culturali ; 227 Grünes Gewölbe, Staatliche Kunstsammlungen Dresden ; 228 Musée de l'Ermitage, Saint-Pétersbourg. Photo © Musée de l'Ermitage/Photo de Vladimir Terebenin, Leonard Kheifets, Yuri Molodkovets ; 229 Courtesy Sotheby's ; 230, 231 Malmaison, châteaux de Malmaison et Bois-Préau © RMN/Gérard Blot ; 232 Collection privée ; 233, 234 Albion Art Collection, Japon ; 235 Nationalmuseum, Stockholm ; 236 Collection privée ; 237 Albion Art Collection, Japon ; 238 Courtesy M. et Mme Alain Moatti ; 239, 240 Kunsthistorisches Museum, Vienne ; 241 Collection de la famille Zucker ; 242, 243 Collection privée ; 244, 245 The Royal Collection © 2010 Sa Majesté la Reine Elizabeth II ; 246 © V&A Images/Victoria & Albert Museum, Londres ; 247 Courtesy S. J. Phillips Ltd, Londres ; 248 Albion Art Collection, Japon ; 249 © 2010 copyright image The Metropolitan Museum of Art, New York/Art Resource/Scala, Florence ; 250 © The Trustees of the British Museum, Londres ; 251, 252 Albion Art Collection, Japon ; 253 Courtesy Bonhams ; 254 Collection privée. Courtesy Albion Art Jewellery Institute, Japon ; 255 Fitzwilliam Museum, Cambridge ; 256 Walters Art Museum, Baltimore; 257 Courtesy Christopher Hartop ; 258 Royal Institute of Painters in Water Colours, Londres ; 259 © Museum of London ; 260 Musée de l'Ermitage, Saint-Pétersbourg. Photo © Musée de l'Ermitage/Photo de Vladimir Terebenin, Leonard Kheifets, Yuri Molodkovets ; 261, 262 Walters Art Museum, Baltimore ; 263 Musée Condé, Chantilly © RMN (Domaine de Chantilly)/René-Gabriel Ojéda ; 264 Collection royale danoise, château de Rosenborg, Copenhague ; 265 Malmaison, châteaux de Malmaison et Bois-Préau © RMN/Gérard Blot ; 266 Cour royale, Suède, photo Alexis Daflos ; 267 Collection Fondation Napoléon, Paris/Photo12.com, photo Patrice Maurin-Berthier ; 268 Christie's Images Ltd ; 269 Collection Fondation Napoléon, Paris/Photo12.com, photo Patrice Maurin-Berthier ; 270 Museo Napoleonico, Comune di Roma – Sovraintendenza ai Beni Culturali ; 271–273 Collection privée ; 274, 275 Musée des Arts décoratifs, Bordeaux ; 276 Christie's Images Ltd ; 277 Musée Condé, Chantilly © RMN (Domaine de Chantilly)/ René-Gabriel Ojéda ; 278 Collection privée ; 279, 280 Christie's Images Ltd ; 281 Collection privée ; 282, 283 Courtesy Sotheby's ; 284 © Fondation Napoléon, Paris, photo Vincent Mercier ; 285 Château de Compiègne © RMN/Gérard Blot ; 286 Archives Chaumet, Paris ; 287 Musée Condé, Chantilly © RMN (Domaine de Chantilly)/René-Gabriel Ojéda ; 288 Galerie du Château d'Eau, Toulouse, tirage de Jean Dieuzaide à partir d'un négatif appartenant à François Émile-Zola, le petit-fils de l'écrivain. © ADAGP, Paris et DACS, Londres, 2010 ; 289, 290 Courtesy S. J. Phillips Ltd, Londres ; 291 The House of Orange-Nassau Historic Collections Trust, Pays-Bas ; 292 Musée de l'Ermitage, Saint-Pétersbourg. Photo © Musée de l'Ermitage/Photo de Vladimir Terebenin, Leonard Kheifets, Yuri Molodkovets ; 293 Collection privée. Courtesy David Lavender Antiques ; 294 The Royal Collection © 2010 Sa Majesté la Reine Elizabeth II ; 295 Kunsthistorisches Museum, Vienne ; 296 Albion Art Collection, Japon ; 297, 298 Christie's Images Ltd ; 299 Royal Husgerädskammaren, Stockholm ; 300 Collection privée ; 301, 302 Courtesy Bonhams ; 303 Brodick Castle, île d'Arran, ScotlandsImages.com/National Trust for Scotland ; 304 Musée Carnavalet, Paris/Roger-Viollet/ Topfoto ; 305, 306 Musée de l'Ermitage, Saint-Pétersbourg. Photo © Musée de l'Ermitage/ Photo de Vladimir Terebenin, Leonard Kheifets, Yuri Molodkovets ; 307 © The Rosalinde and Arthur Gilbert Collection, prêt au Victoria & Albert Museum, Londres ; 308 Musée de l'Ermitage, Saint-Pétersbourg. Photo © Musée de l'Ermitage/Photo de Vladimir Terebenin, Leonard Kheifets, Yuri Molodkovets ; 309 Musée national de Finlande, Helsinki ; 310 Courtesy Sotheby's ; 311 Hillwood Estate, Museum & Gardens ; legs de Marjorie Merriweather Post, 1973 (Acc. n° 11.241). Photo de E. Owen ; 312 Courtesy Sotheby's ; 313 Courtesy À La Vieille Russie, New York ; 314, 315 Fondation Link of Times, Moscou ; 316, 317 Collection comte Charles-André Walewski. Photographe Xavier Reboud ; 318 The Royal Collection © 2010 Sa Majesté la Reine Elizabeth II ; 319, Musée Condé, Chantilly © RMN (Domaine de Chantilly)/René-Gabriel Ojéda ; 320–322 Courtesy Sotheby's ; 323 Musée de l'Ermitage, Saint-Pétersbourg. Photo © Musée de l'Ermitage/Photo de Vladimir Terebenin, Leonard Kheifets, Yuri Molodkovets ; 324 Courtesy Sotheby's ; 325 © National Portrait Gallery, Londres ; 326 British Library, Londres ; 327 Christie's Images Ltd ; 328 Courtesy Earl Fortescue ; 329 The Royal Collection © 2010 Sa Majesté la Reine Elizabeth II ; 330 Albion Art Collection, Japon ; 331 Collection privée ; 332 Albion Art Collection, Japon ; 333 De Beers Collection, Londres ; 334 Courtesy Sotheby's ; 335–337 Collection de la famille Zucker ; 338 Musée de l'Ermitage, Saint-Pétersbourg. Photo © Musée de l'Ermitage/Photo de Vladimir Terebenin, Leonard Kheifets, Yuri Molodkovets ; 339, 340 Courtesy Sotheby's ; 341 Collection privée ; 342, 343 Courtesy S. J. Phillips Ltd, Londres ; 344 Collection de la famille Zucker ; 345 Musée de l'Ermitage, Saint-Pétersbourg. Photo © Musée de l'Ermitage/Photo de Vladimir Terebenin, Leonard Kheifets, Yuri Molodkovets ; 346, 347 extrait du catalogue *Russia's Treasure of Diamonds and Precious Stones* (conçu après la révolution sous la dir. de A. E. Fersman, Moscou 1925–1926), courtesy Stefano Papi ; 348 Collection privée ; 349 Courtesy Amalienborgmuseet, Copenhague ; 350 extrait du catalogue *Russia's Treasure of Diamonds and Precious Stones* (conçu après la révolution sous la dir. de A. E. Fersman, Moscou 1925–1926), courtesy Stefano Papi ; 351 Collection de la famille Zucker ; 352, 353 Fondation Link of Times, Moscou ; 354 Collection de la famille Zucker ; 355, 356 Historical Collections of the House of Orange-Nassau, photo René Brus.

INDEX

Les numéros de page en *italique* font références aux illustrations et à leurs légendes.